D0810115

10
18

12, AVENUE D'ITALIE. PARIS XIIIe

Sur l'auteur

Murray Bail est né à Adélaïde, en Australie, en 1941, et a vécu à Bombay, puis à Londres. Il est l'auteur de recueils de nouvelles et de romans, dont *Eucalyptus*, pour lesquels il a reçu plusieurs prix. Murray Bail vit aujourd'hui à Sydney.

MURRAY BAIL

EUCALYPTUS

Traduit de l'anglais
par Michèle Albaret-Maatsch

10
18

« Domaine étranger »

dirigé par Jean-Claude Zylberstein

ROBERT LAFFONT

Titre original :
Eucalyptus

ISBN 978-2-264-04290-3

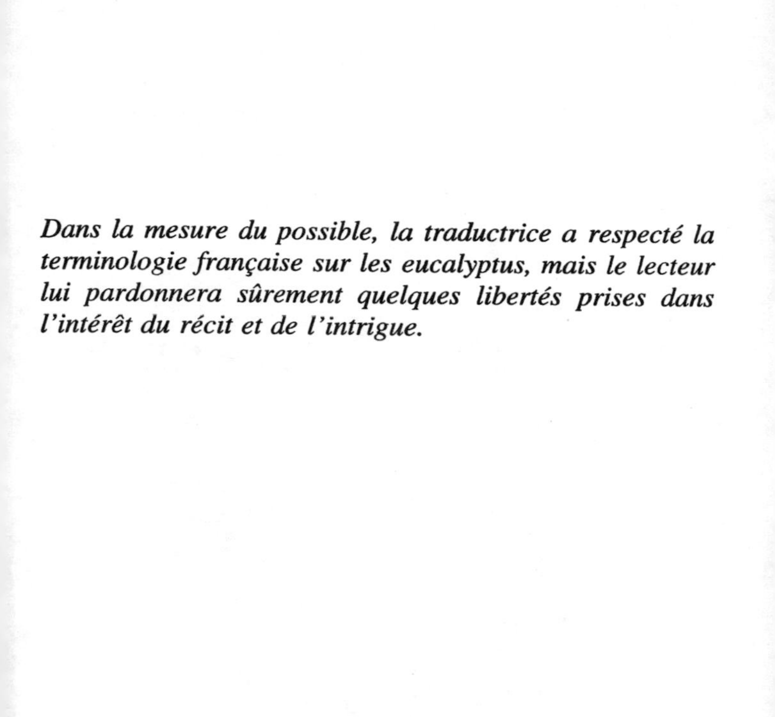

Dans la mesure du possible, la traductrice a respecté la terminologie française sur les eucalyptus, mais le lecteur lui pardonnera sûrement quelques libertés prises dans l'intérêt du récit et de l'intrigue.

1

Obliqua

Nous pourrions commencer par *desertorum,* nom vulgaire du mallee à crochets. Ses feuilles s'effilent jusqu'à former un fin crochet et il se rencontre en général dans les régions semi-désertiques de l'intérieur.

Mais *desertorum* (pour commencer) n'est jamais qu'une espèce d'eucalyptus parmi des centaines d'autres ; il n'y a pas de chiffre précis. Et, de toute façon, le terme même de *desert-or-um* ramène la discussion sur une version défraîchie du paysage national et, de là, en plus ou moins droite ligne, sur le caractère national lui-même, ces multiples épaisseurs tapissant l'âme et le larynx qui, paraît-il, trouvent leurs origines dans le *bush,* et dont les vertus poétiques (vous imaginez ?) s'appuient sur une vie éprouvée par les sécheresses, les feux de brousse, les moutons puants, *et cetera* ; sans oublier l'isolement, les femmes éreintées et déformées, le langage grossier, l'horizon toujours vaste et les mouches.

C'est à ce contexte qu'on doit toutes ces histoires extrêmement arides (couleur terre de Sienne — pourrions-nous dire ?) qui se racontent autour d'un feu ou au fil d'une page. Tout ce qui jadis s'avérait intéressant un moment, mais qui n'a quasiment aucun rapport avec notre affaire.

En outre, l'*Eucalyptus desertorum* a quelque chose de peu attrayant, de malsain même. Il ressemble plus à un arbuste qu'à un arbre ; il n'a pratiquement pas de tronc : juste quelques tiges qui émergent de la terre, rabougries et l'air *démangeantes.*

Nous pourrions tout aussi bien nous pencher sur l'*Eucalyptus pulverulenta,* un sujet rarement observé au nom dynamique et aux curieuses feuilles en forme de cœur qu'on ne rencontre que sur deux étroites saillies des Blue Mountains. Et *diversifolia* ou *transcontinentalis* ? Eux, au moins, sont synonymes de grands et riches desseins. Même chose pour *E. globulus,* généralement employé comme brise-vent. De la véranda de devant chez Holland, à deux heures de l'après-midi, on pouvait en contempler un spécimen esseulé qui, épingle en filigrane vert grisâtre élégamment fichée dans un feutre de femme, donnait de la stabilité à la perspective décolorée et oscillante.

Chaque eucalyptus est intéressant pour des raisons qui lui sont propres. Certains eucalyptus évoquent un univers distinctement féminin (veste jaune, rose-de-l'Ouest, gommier pleureur). *E. maidenii* a fourni une ombre photogénique aux stars hollywoodiennes. Jarrah est le bois que tout le monde prétend aimer. *Eucalyptus camaldulensis* ? Nous l'appelons le gommier rouge de rivière. Trop viril, d'une virilité trop autoritaire ; et, en plus, couvert de verrues et de furoncles à la papi. Quant au gommier spectre (*E. papuana*), il y a des gens qui soutiennent, la gorge nouée, que c'est le plus bel arbre de la planète, ce qui expliquerait qu'on nous l'a flanqué à toutes les sauces sur tous les calendriers, timbres et torchons d'Australie. Holland en avait un, à l'extrémité nord-est de la propriété, côté ville, qui, jalon de géomètre devenu fou, agitait ses bras blancs dans la pénombre.

Nous pourrions continuer indéfiniment à citer les chouchous ou à en revenir à des noms botaniques dotés d'une résonance presque acceptable ou aux sonorités presque évocatrices, si tant est que ce soit possible, ou même désespérément loin de la réalité qui nous intéresse, mais attirant l'attention du fait de leur étrangeté purement linguistique — *platypodos* ; alors que tout ce qu'il nous faut, mis à part un début en tant que tel, c'est un eucalyptus indépendant de... et pourtant un qui... ce n'est pas vraiment important.

Il était une fois un homme — qu'est-ce qui cloche là-dedans ? Ce n'est pas la façon de se lancer la plus originale qui soit, mais elle a assurément fait ses preuves à maintes reprises et donne à penser qu'il y a là quelque chose de valeur, un désir profond qui commence à trouver un écho, une gamme de possibilités qui vont être énoncées.

Il était une fois un homme dans une propriété proche d'une petite ville de rien du tout de la Nouvelle-Galles du Sud qui ne parvenait pas à prendre une décision à propos de sa fille. Et qui en arriva à une résolution inattendue. Incroyable ! Pendant quelque temps, les gens ne parlèrent et ne rêvèrent pratiquement que de ça, jusqu'au moment où ils se rendirent compte que ça lui correspondait tout à fait ; qu'ils n'auraient pas dû être surpris. À ce jour, on en parle encore, les conséquences de cette affaire se font encore sentir dans la ville en question et dans les districts voisins.

Il s'appelait Holland. Avec sa fille unique, Holland vivait dans une propriété bordée sur l'un de ses côtés par une rivière kaki.

Elle était située à l'ouest de Sydney, par-delà les

montagnes et au soleil — à environ quatre heures de route au volant d'une voiture japonaise.

Tout autour, la terre offrait un aspect de chameau géologique, d'un brun calleux marbré d'ombres, qui, se relevant lentement, paraissait balancer sous la chaleur et affichait une patience accablante.

Certaines personnes disaient se rappeler le jour de son arrivée.

Il faisait une chaleur atroce, torride. Il était descendu seul du train, aucune femme ne l'accompagnait, pas cette fois-là. Sans s'arrêter en ville, ne serait-ce que pour un verre d'eau, il s'était rendu directement à la propriété qu'il venait d'acquérir, un bien *de cujus*, et avait entrepris de la parcourir à pied.

À chaque pas, le paysage s'était déployé et présenté. La voix de l'homme qui chantait faux claironnait. Tout cela lui appartenait.

Il y avait des retenues d'eau couleur de thé au lait, des appentis en tôle ondulée inclinés en trapèze, des mètres de bois coupé, de la rouille. De gros eucalyptus solitaires, aux troncs brillant comme l'aluminium au crépuscule, traitaient de haut les prairies brûlantes.

Un homme maigre et ses trois fils avaient été les premiers occupants des lieux. Un chemin de terre de la région leur doit son nom. Au début, ils dormaient tout habillés, un kelpie ou des sacs de blé pour avoir chaud, pas le temps de se compliquer la vie avec des femmes — des poilus au visage hâve. Jamais ils ne se marièrent. C'étaient des gens secrets. En affaires, ils aimaient dissimuler leurs intentions véritables. Ils vivaient pour acquérir, adjoindre, amasser. À chaque fois que l'occasion se présentait, ils ajoutaient un bout de terre ici ou là, dans n'importe quelle direction, des acres et des acres, s'endettant pour ce faire, même s'il s'agissait de terres tocardes de l'autre côté de la colline, de terres en pente perpétuellement trempées d'ombre et infestées de bardanes, jusqu'au jour où le terrain d'origine au sol pierreux se métamorphosa enfin en une vaste étendue ondoyante en forme de bréchet ou de pelvis brisé.

Ces quatre hommes avaient viré fous à force de pratiquer des annélations dans l'écorce des arbres. Pièges en acier, feux et tous types de poisons et de chaînes avaient aussi été utilisés. Sur les terres de derrière aux formes attirantes, de grands gommiers avaient lentement perdu leurs couleurs et, pareils à des rognures d'ongles, s'étaient recroquevillés contre un angle du terrain. Çà et là, des troncs droits et nus gisaient éparpillés à l'oblique comme des wagons victimes d'un déraillement. Mais les quatre hommes avaient déjà tourné les talons pour s'attaquer au défrichage d'un nouveau rectangle.

Quand il leur fallut enfin construire une ferme digne de ce nom, ils utilisèrent une pierre grise pessimiste ridiculement appelée « pierre bleue » extraite d'une région brumeuse et indéniablement ruisselante du Victoria. À une date ultérieure, il fut remarqué que l'un des frères s'occupait de tracer à la peinture blanche une ligne erratique qui montait et descendait entre les assises en briques et qu'il tirait la langue tant il se concentrait. Comme pour leurs terres, ils multiplièrent les ajouts à la maison — vérandas, dépendances. Pour fêter une suprématie d'un certain genre, ils ajoutèrent en 1923 une tour où ils pouvaient s'asseoir tous les quatre, le soir, pour boire un verre et tirer à l'aveuglette sur tout ce qui bougeait — kangourous, émeus, aigles. Quand le père mourut, la propriété était devenue l'une des plus grandes du district et potentiellement la plus belle (tout ce terrain en bordure de rivière) ; mais les trois fils restants se disputèrent et une partie des terres fut vendue.

Tard, un après-midi — dans les années 1940 —, le dernier des frères célibataires tomba dans la rivière. Personne ne se rappelait l'avoir entendu dire un mot de son vivant. Dans le district, il passait pour être la personne qui marchait le plus lentement. C'était lui le responsable de l'exaspérant système de portes aux verrous phalliques malcommodes qui fermaient les clôtures des prairies. Et c'était lui qui avait construit, à mains nues, le pont suspendu au-dessus de la rivière, en partie comme mémorial branlant à la lointaine guerre mondiale que, contre toute attente, il n'avait pas faite, mais surtout pour permettre aux mérinos à la tête flanquée d'une ridicule permanente et d'une raie au milieu de traverser sans se mouiller les sabots quand, tous les sept ans, les crues transformaient le doux méandre de la rivière en dessous de la maison en un bras d'eau saturé. Pendant un moment, toute la région n'avait parlé que de ça, de sa raison d'être, jusqu'à ce que la génération d'après le considère comme un embarras. À présent, il apparaît dans de luxueux livres produits dans la cité lointaine où il illustre l'aspect utilitaire et ingénieux de l'art folklorique : quatre câbles lancés entre deux arbres, recouverts de cyprès, bardés de fils de fer en guise de garde-fou.

Au début, Holland n'avait pas l'air d'un paysan, pas pour les hommes. Sans même baisser les yeux vers ses chaussures crevées, ils pouvaient tout de suite dire qu'il était de Sydney. Ce n'était pas un détail ; c'était l'ensemble.

À ceux qui traversaient la rue pour se présenter, il tendait une main molle, anguille proverbiale prête à vous filer entre les doigts à la moindre pression. Il affichait un petit sourire qu'il gardait en place, à l'instar de quelqu'un qui soulève une fenêtre avant de s'engager plus avant. Les gens ne lui faisaient pas confiance. Le sourire à double détente n'arrangeait rien. Il fallut qu'on le voie s'emporter au sujet d'une broutille pour qu'on commence à l'adopter. Les hommes qui battaient le pavé avaient soit un sourire accommodant soit un visage couleur de grain de blé. Et un sur deux avait un bout de doigt en moins, une oreille fendue, le nez cassé, un œil en émoi après un frotti-frotta avec un fil barbelé. Dès que la conversation arrivait sur le solide terrain des bonnes vieilles machines, des histoires de prédilection sur les directeurs de banque dépourvus d'humour ou sur la résistance de certaines mauvaises herbes, les gens remarquaient que, même s'il avait l'air pensif, Holland ne participait pas à la discussion.

Dès le début, des gamins l'avaient surpris, des pinces entre les lèvres, en train d'accrocher le linge ; or, cette rangée de pinces qui lui pendouillaient de la bouche comme des dents de dromadaire te lui donnait un faciès d'analphabète grimaçant. En réalité, il était malin et s'intéressait à des tas de choses. Le bruit courait qu'il ne savait pas ouvrir une porte. Ses idées sur la rotation des cultures les faisaient sourire et se gratter la nuque par-dessus le marché. Du coup, ils se demandaient comment il avait réussi à acheter cette propriété. Quant au taureau pisseur qui poussait tous les hommes sans exception à rester à une distance prudente du terrain rectangulaire de derrière, il régla ce problème en l'abattant d'un coup de fusil.

Il allait lui falloir des années d'apparitions inopinées par n'importe quel temps, à un mètre de distance comme à dix, pour que sa personne et sa bobine se taillent une place dans le paysage.

Il confia à la femme du boucher :

« Je compte passer sept ans ici. Après, qui sait ? »

Voyant que ses lèvres de presbytérienne se pinçaient, il ajouta :

« C'est une belle région que vous avez là. »

C'était une très petite ville. Comme pour chaque nouveau venu, les femmes discutèrent de lui en groupe, se consultèrent avec une grande solennité. À la façon dont elles croisaient les bras, on devinait une vague mélancolie.

Elles en arrivèrent à la conclusion qu'il devait y avoir une femme de cachée quelque part dans un coin de sa vie. C'était la manière dont il s'exprimait, les suppositions inscrites sur son visage. Et le fait de le voir toujours avec sa veste noire, tête nue, en train d'arpenter la rue ou de prendre son petit déjeuner seul chez le Grec où personne dans son bon sens n'allait jamais s'asseoir pour manger, suffisait à provoquer chez ces femmes rêveuses des visions distendues de la ferme en pierres sombres, de ses nombreuses pièces vides, du manque de fleurs, de toutes ces vastes acres et de tout ce bétail dont personne ne s'occupait — avec cet homme à moitié perdu dans cet espace vide. Il leur apparaissait comme un personnage qui réclamait toutes sortes d'attentions, de rectifications même.

Une veuve aux mains rouges fit une tentative. Il n'en résulta pas grand-chose. Qu'espérait-elle ? Tous les matins, elle astiquait le devant de sa maison avec un chiffon. Très vite, elle fut imitée par les mères de filles solides habitant des propriétés voisines de celle de Holland, qui l'invitèrent dans leurs fermes exposées au nord où on lui servit d'énormes quantités de mouton. Là, ce furent des repas à la cuisine sur du pin tellement briqué qu'il en affichait une couleur de poumon, une cuisine dominée par la masse d'un poêle noir aux flammes fuyantes ; d'autres maisons recoururent à la salle à manger tapissée de papier peint, à la table façon chêne, à l'argenterie, au cristal et à la vaisselle fine — avec, à la place d'honneur, un mari violacé aux allures de mort. Mères et filles observaient avec intérêt tandis que ce parfait inconnu, parmi eux, enfournait dans sa bouche exceptionnellement large la nourriture qu'il avait épongée avec un quignon de pain blanc. Il hochait la tête pour marquer sa gratitude. Il ne prononçait pas ses h, ce qui constituait un soulagement.

Après, il sortait son mouchoir et s'essuyait les mains, de sorte que, pour ces mères et ces filles, il ressemblait à un magicien qui leur aurait présenté un de ses terrains kaki à titre d'exemple avant de le leur retirer brusquement, sans rien leur laisser que du vide.

Près de cinq mois s'étaient écoulés ; un lundi matin, Holland fut remarqué à la gare. Les gens présents lui adressèrent un petit signe de tête en guise de salut campagnard, persuadé qu'il était là comme eux pour récupérer des pièces détachées commandées à Sydney.

Holland prit une cigarette.

Les rails pesants couraient parallèlement au quai sur les traverses régulièrement espacées, noires d'ombre et de graisse et plus noires encore à mesure qu'elles étaient plus éloignées et inondées de lumière, que les rails convergeaient dans un tremblement argent entre les buissons, la courbe et la brume de chaleur du milieu de matinée.

Le train était en retard.

Ces traverses noires qui amortissaient le formidable poids des trains en marche, elles avaient été taillées dans les forêts de gommiers gris à écorce de fer (*E. paniculata*) autour des montagnes Bunya, à quelques heures de route plus à l'est. C'étaient les mêmes eucalyptus au bois sombre abattus par les mêmes bûcherons qui approvisionnaient les contrats d'exportation pour la propagation de la vapeur à travers la Chine, l'Inde et l'Afrique britannique. La plupart des traverses du Transsibérien provenaient des forêts autour de Bunya et ce sont elles qui ont supporté — voici une justice poétique — le poids des milliers de Russes emmenés en déportation et pire. Le gommier gris à écorce de fer est assurément l'une des essences les plus dures dont l'homme puisse disposer.

Sifflet discret et fumée. Les rails commencèrent à craquer des jointures. Le train apparut, grossit et finit par s'octroyer une pause le long du quai en lâchant toute une série de soupirs comme un chien noir épuisé, baveur, les pattes dépliées. Durant un moment, les gens eurent trop à faire pour remarquer Holland.

Holland pencha sa tête nue vers une fillette vêtue d'une robe bleue. Comme ils quittaient la gare, on le vit la délester de sa petite valise en osier et déployer de gros efforts pour parler. Elle levait les yeux vers lui.

Peu après, des femmes sortirent dans la rue, en plein soleil, et parurent se percuter. Elles se touchaient aux ourlets et aux coudes. La nouvelle parcourut rapidement les longues distances jusqu'à la lisière de la ville et, de là, se dispersa dans diverses directions pour faire irruption dans les maisons où Holland avait mangé, à la façon dont un incendie saute par-dessus les clôtures, les routes, les terrains en friche et les rivières en laissant à sa remorque de plus petites versions de lui-même, toujours légèrement différentes.

C'était sa fille. Il pouvait faire tout ce qu'il voulait avec elle. Oui ; mais des semaines s'écoulèrent avant qu'il ne l'amène en ville. « L'acclimatation » était un thème auquel il attachait une grande importance.

Les femmes avaient envie de la voir. Elles avaient envie de les voir tous les deux ensemble. Certaines se demandaient s'il serait sévère avec elle ; les multiples degrés de la chose. Au lieu de cela, Holland apparut étonnamment guindé et, en même temps, désinvolte.

On retrouvait des traces de lui du côté des yeux et de la mâchoire de la petite. Il y avait le même sourire à double détente, et le même froncement de sourcils quand elle répondait à une question. À l'égard des femmes de la ville, elle se montra parfaitement polie.

Elle s'appelait Ellen.

Holland avait rencontré et épousé une femme du fleuve qui habitait à la lisière de Waikerie, sur le Murray, dans le sud de l'Australie ; Ellen ne se lassait jamais d'entendre cette histoire.

Son père avait passé une de ces fameuses annonces matrimoniales.

« Quel mal y a-t-il à cela ? En termes de curiosité, c'est une démarche qui a une grande valeur pour chacune des parties. On ne sait jamais ce que ça va donner. C'est ce que je ferai quand tu seras plus vieille. Je rédigerai la petite annonce moi-même. J'essaierai de faire la liste de tes qualités les plus attrayantes, si j'en trouve. On sera probablement obligé de la faire passer en Écosse et au Venezuela. »

C'est encore la coutume pour certains journaux de la campagne de publier ces annonces, commodes pour l'homme qui n'a tout bonnement pas le temps de se chercher une femme qui lui convienne ou pour celui qui n'arrête pas de se déplacer, parce qu'il est saisonnier. C'est une coutume bien établie dans d'autres endroits, comme au Nigeria où les hommes portent des noms de fleur, et en Inde, il y a un quotidien en particulier, publié à New Delhi, que les gens lisent avec passion juste pour ces annonces artistement rédigées qui affluent des quatre coins du sous-continent. Là-bas, c'est un service pratique pour les mariages arrangés, quand il faut jeter un filet plus grand.

Mérite d'être mentionné dans ce contexte. Dans New Delhi tout en cercles, où que l'œil se tourne — même lorsque la jeune épousée tourne sa bague-miroir au tain brouillé afin d'entrevoir pour la première fois le visage barré d'une moustache-crayon du mari que d'autres lui ont trouvé — il rencontre invariablement un gommier bleu (*E. globulus*) — ils sont partout ; de même que les grands *E. kirtoni* — nom vernaculaire, semi-acajou — qui poussent si vite, ont pratiquement envahi la poussiéreuse métropole de Lucknow.

Des trois réponses à la ligne de Holland, la plus prometteuse fut sans conteste celle à l'écriture ronde et enfantine sur papier rayé. Suggérait vaguement un veuvage de fraîche date : d'un autre homme qui avait terminé la tête la première dans le fleuve, les bottes encore aux pieds.

Elle faisait partie d'une famille de sept ou huit. Holland vit des corps répandus un peu partout, de pâles sœurs, traversées par des rais de lumière perçante, comme si des balles avaient perforé la baraque en tôle.

« Je me suis présenté, expliquait Holland, et ta mère est devenue extrêmement silencieuse. C'est tout juste si elle a ouvert la bouche. Elle devait s'être rendu compte de la situation dans laquelle elle s'était fourrée. Et voilà que j'étais là, devant elle. Peut-être qu'après avoir jeté un coup d'œil à ma trombine, elle avait envie de prendre ses jambes à son cou ? »

Sa fille souriait.

« Une femme très très bien. J'avais beaucoup de temps à consacrer à ta mère. »

Parfois, une sœur s'asseyait à côté et, sans un mot, se mettait à brosser les cheveux de l'aînée. Ils étaient blond paille ; les autres étaient brunes. Les pieds de la table de cuisine baignaient dans des boîtes de confiture en fer-blanc remplies de pétrole. Le père entrait et sortait. C'est à peine s'il prêtait attention à la présence de Holland. Pas trace de la mère. Holland offrit une hache et une couverture, comme s'il s'agissait de Peaux-Rouges.

Il finit par la ramener à Sydney.

Là, dans son chez-lui, qui renfermait plus ou moins son univers personnel, elle lui apparut bien en chair ou (formulons-le ainsi) plus ronde qu'il ne l'avait imaginée et rayonnante comme si elle eût été saupoudrée de farine. Et elle s'occupa. Mine de rien, elle introduisit un ordre différent. Lorsqu'elle les détachait, ses cheveux roulaient comme quand on décharge brusquement du sable et elle les brossait d'un geste cadencé, habitude religieuse devant le miroir. Stupéfiante était la confiance qu'elle plaçait en lui : la façon dont elle lui permettait d'entrer. Il se faisait l'effet d'avoir des mains maladroites et grossières, et parfois des mots. C'était là quelqu'un qui l'écoutait.

Ce qui se passa ensuite commença comme une blague. Sur un coup de tête, il contracta, non sans difficultés, une assurance au cas où sa femme du fleuve accoucherait de jumeaux. Il lançait un défi à la nature. C'était aussi sa façon de fêter la chose. Les actuaires calculèrent des probabilités extrêmement réduites ; Holland augmenta immédiatement la police. Il agita l'attestation à l'ancienne avec son cachet rouge bidon devant ses amis. C'était l'époque où il buvait.

« J'avais vidé mes poches, jusqu'au dernier sou. »

Ellen ne s'intéressait guère à l'aspect financier.

« C'est toi qui es née en premier, disait-il en hochant la tête. On t'a appelée Ellen. Je veux dire, c'était ce que ta mère préférait — Ellen. Ton frère n'a vécu que quelques jours. Quelque chose s'est brisé chez ta mère. Je suis prêt à parier qu'on n'a jamais vu quelqu'un pleurer autant. Le haut de ta tête, là, était toujours mouillé. Et du sang, beaucoup de sang. Elle restait couchée à pleurer, tu vois, doucement. Elle était incapable de s'arrêter. Ça l'a affaiblie. On aurait dit que la vie la désertait sous mes yeux. Je n'ai rien pu faire. J'avais à peine eu le temps de la connaître. Je ne sais pas comment ça s'est passé.

« Et toi, qui respirais la santé, et le gros chèque qui est arrivé peu après. J'aurais dû lancer mon chapeau en l'air. Je n'avais jamais vu autant d'argent, autant de zéros. J'ai gardé toute cette galette sur un bout de papier dans la poche arrière de mon pantalon pendant un mois ou plus avant de rassembler le courage d'entrer dans une banque. Et, comme ça, voilà où nous en sommes. Il y a une belle vue de la véranda. Ça, au moins, j'y suis un peu pour quelque chose. Et regarde-toi. Tu es déjà la plus jolie petite fille à cent kilomètres à la ronde. »

Et Ellen ne se lassait jamais d'entendre cette histoire et de poser des questions, souvent les mêmes, sur sa mère. Souvent, en les répétant, Holland s'interrompait et disait :

« Viens donc donner un gros bisou à ton papa. »

2

Eximia

Il y a des gens, des nations, qui sont perpétuellement dans le noir. Il y a des gens qui projettent une ombre. Des longueurs d'obscurité distendue les précèdent, même à l'église ou quand le soleil se cache, comme on dit, qu'il est épongé par le tissu sale des nuages. Ils ont une flaque de formes sombres autour des pieds. Ça ressemble beaucoup aux pins. Pins et pénombre ne font qu'un. À cet égard, les eucalyptus sont insolites : leurs feuilles, pendantes, donnent un feuillage clairsemé qui produit à son tour une sorte d'ombre au dessin délicat, si tant est qu'il y en ait une. Clarté, manque d'obscurité — voilà ce qu'on pourrait appeler les « qualités de l'eucalyptus ».

Quoi qu'il en soit, ne trouvez-vous pas que le pin complaisant s'associe aux nombres, à la géométrie, à la majorité, alors que l'eucalyptus reste à l'écart, solitaire, fondamentalement antidémocratique ?

Le gommier possède une beauté pâle et dépenaillée. Il arrive qu'un spécimen et un seul domine toute une colline australienne. C'est un arbre égotiste. Du fait qu'il se tient à l'écart, il attire l'attention sur lui et absorbe, dans un rayon supérieur au déploiement de ses racines, l'humidité et la moindre manifestation de vie, comme le gazon et les mauvaises herbes inoffensives, alors qu'il se montre minimaliste en termes d'ombre.

Ce sont les arbres qui composent un paysage.

Il fallut longtemps pour que Holland se fasse à l'idée (plus qu'au fait) que la terre sur laquelle il se trouvait, y compris chaque morceau de quartz, chaque bout de bois cassé, chaque touffe d'herbe désséchée, chaque arbre debout et en pleine croissance ou tombé et virant au gris, lui appartenait, était à lui. Après, il eut parfois l'impression que même le temps, beau ou mauvais, lui appartenait.

Dans un élan d'enthousiasme, Holland décréta qu'il voulait tout savoir, à commencer par le nom des choses — des oiseaux, des pierres et, surtout, des arbres. Les gens de la ville, presque souriants et avec une politesse assez creuse, ne purent pas toujours lui fournir les réponses ; Holland commanda nombre d'ouvrages de référence à Sydney.

Quand Ellen arriva, vêtue de sa robe à carreaux bleus, Holland avait commencé à planter quelques eucalyptus et, souvent, elle l'accompagna avec un seau et une bêche jaune, s'accroupissant pendant qu'il en plantait de nouveaux.

C'est ainsi qu'elle, Ellen, planta les graines de son avenir.

Le premier eucalyptus — si tant est qu'on puisse être précis en matière de passion — est celui qui est le plus proche de la façade de la maison. N'étant pas placé au milieu, il brise l'accélération à l'horizontale de la véranda de devant et masque, de quelque façon qu'on le regarde ou presque, la fenêtre de la chambre de la fille.

Holland aurait pu planter n'importe quel autre arbre, un pin servile (un pin parasol ? un pin de Norfolk ?) ou sinon un acacia, le plus sinistre des arbres ; par sentimentalisme, le néflier du Japon aurait été le préféré des sujets indigènes. Et s'il était surtout attiré par les eucalyptus, parce que c'étaient de prétendus autochtones, ou des solitaires ou ce qu'on veut, déjà à l'époque des tas d'autres jeunes plants étaient disponibles à l'achat dans des godets rouillés.

Holland planta un bloodwood jaune (*E. eximia*).

Là, nous avons un spécimen tellement sensible au gel qu'il reste confiné à la côte, à portée de voix de Sydney. Le premier essai de Holland mourut très vite. Mû par un entêtement singulier, il en planta d'autres et prit grand soin du dernier plant restant, une affaire d'allure malingre. Tous les jours, il retournait la terre autour, lui donnait à boire avec une tasse, lui distribuait un peu de fumier de mouton et lui élevait pour la nuit une barricade de fer-blanc et de jute afin de le protéger du gel. L'arbre poussa et se développa bien. Il est toujours là.

Chose curieuse pour un eucalyptus, le bloodwood jaune possède une frondaison frémissante qui touche presque le sol, comme un chêne mutant. Voici ce qu'en disent les revues de botanique : « Le nom spécifique provient de l'adjectif anglais *eximious,* signifiant excellent, du fait qu'à la floraison l'arbre est extraordinaire. » À la fin du printemps, les fleurs s'affichent. C'est comme si quelqu'un avait joyeusement collé des poignées de neige sale sur les feuilles d'un vert militaire. De la neige sale — si loin à l'intérieur des terres ? Couleur de mousse de bière. Ça ressemble à des cheveux de blonde. La gomme-résine rouge qui suinte en permanence justifie le « blood », ou sang, du nom.

En grandissant, Ellen voulut en savoir encore plus sur sa mère invisible. La complexité des attentes d'Ellen, ses emportements devant ses réponses intriguaient son père.

Une photographie aurait pu atténuer cette tension. Mais apparemment, pareil élément de référence n'existait pas — bien que la femme de Holland eût grandi au moment précis où démarrait la vogue des photographies en noir et blanc et aussi sépia, où s'épanouissaient les poses empruntées. (L'ennui des pique-niques saisi sur le vif, le vilain canard en train de faire des grimaces, le cousin de la campagne en godiche pétrifiée, des bébés dans leurs landaus affichant des mines de motocyclistes furibonds. Dieu sait que l'on pourrait dresser une longue liste des clichés réglementaires assortis d'une note écœurée sur l'impossibilité de se fier aux boutiques de photo du pays...) Dès lors que clique l'obturateur, les réactions ultérieures d'horreur, de pitié et de surprise se retrouvent stockées dans l'argent et la gélatine. La photographie est l'art de la comparaison. N'importe qui peut prendre une photo. « L'art » a déjà été composé par le sujet en personne, même si c'est un mur en briques — sincèrement, le terme « art » est ici d'une prétention étonnante, étant donné que cette affaire n'est qu'une description de la position des pieds, même si le photographe s'escrime sur la poétique des ombres, le sujet saugrenu, la juxtaposition, la concentration d'austérité, voire simplement sur la bienséance d'un classique tirage de trombine.

« Ils avaient à peine de quoi se payer une miche de pain, expliquait Holland, encore moins un appareil photo. Ils avaient des plaies, pas de chaussures. Je crois que, chez eux, le sol était en terre battue. »

En plus, le grand fleuve était connu pour déborder toutes les x années et pour emporter les biens les plus personnels des gens.

Quelle que fût la raison, Ellen se retrouvait avec le sentiment de ne pas être complète, consciente qu'il lui manquait quelque chose.

Holland se débrouilla au mieux. Pour dépeindre la mère d'Ellen, il lui fallut commencer par faire oublier le sang dilué avec les larmes ruisselantes qui avaient traversé sa robe et dissous sa silhouette, c'est-à-dire ces hanches, ces poignets, ces seins, cette bouche et son expression, sa voix — encore qu'elle n'eût rien eu d'un moulin à paroles.

Mais il découvrit alors que cette femme qu'il ne connaissait guère avait eu des débordements de gentillesse — qu'elle eût été en train de respirer à côté de lui ou assise sur une chaise de la cuisine —, une gentillesse abondante, *débordante,* tant de gentillesse et de sérénité aussi, qu'il lui avait été difficile de se rendre compte de ce qu'elle était au fond. Et avec le temps, cela aussi s'estompa.

Holland n'avait pas parlé de son grand-père à Ellen. Il ne savait pas trop quoi dire à son sujet. Sacré scénario juste en dehors de Waikerie : le père, sept ou huit filles, en train de grandir à l'intérieur d'une étuve, une mère nulle part visible, un fleuve brun et paresseux coulant avec lenteur sous le soleil. Alors même que Holland était sur le point de partir avec sa fille aînée et qu'il était donc là pratiquement tous les jours, le cheveu brillantiné et la raie bien tracée, le père ne faisait pour ainsi dire pas attention à lui. Délié, une épave, un sac à vin ; s'il fallait en croire les manuels de vulgarisation américains sur la famille, très riches en statistiques, il était totalement décevant, représentait un modèle de père de qualité vraiment inférieure.

Qu'est-ce au juste qu'un père pour une fille ?

Le père est un homme et, pourtant, pas pour sa fille. Où qu'elle aille, il se tient derrière elle ou à côté d'elle, un peu en retrait, lui sert d'ombre souvent maladroite. Jamais elle ne se débarrassera de lui. Le père a l'avantage d'avoir les années pour lui. Il est solide ; très proche ; et, en même temps, distant : autorité floue qui toujours promet de s'adoucir. Et ce père au maillot de corps déchiré, cette tache noire sur les tables statistiques, avait une sirène tatouée sur le poignet (drôlement loin de la mer) dont il aimait à faire rouler les seins trempés de sueur et les hanches de poisson devant ses nombreuses filles en ouvrant et en refermant le poing. Pour un signal pas clair, c'en était un : on le surprit en train de faire ce mouvement à l'enterrement.

La femme de Holland lui avait décrit les jeux auxquels elles jouaient, elle et ses nombreuses sœurs, sur les berges du fleuve.

Tout en cris perçants, en tresses et en genoux égratignés, elles choisissaient un arbre et l'embrassaient tour à tour en murmurant contre son fût. Il donnait l'impression d'être dur comme du fer, et néanmoins vivant, comme le formidable cou d'un cheval. D'après ce jeu, celle qui réussirait à enlacer l'arbre en parvenant à ce que ses bouts de doigts se touchent se retrouverait enceinte. Par « enceinte », elles voulaient dire mariée ; ce n'était que des petites filles.

Une des sœurs, jeune et assez grasse, était postée à côté de l'arbre par un chaud après-midi quand elle fut mise enceinte. Ce fut un assaut brutal, à la façon dont les paysans empoignent avec force un pieu de clôture en jeune écorce de fer. C'est ainsi que ça se passa. Moitié par terre, moitié en l'air. Elle avait à peine seize ans. Quelques mois plus tard, tout le monde était au courant.

L'épouse dénichée par correspondance conduisit Holland vers le fleuve et lui montra l'arbre lingam. Holland manqua éclater de rire devant sa banalité piteuse, sa circonférence d'une aimable modestie. (Un jeune gommier des marais — au nom spécifique ultra-lucide, *Eucalyptus ovata.*) Holland noua ses bras nus autour du tronc, se serra la main et, pour souligner à quel point ce geste lui avait été facile, déclara : « Ravi de vous rencontrer. » Elle le regarda faire avec un petit sourire attentif.

« J'ai compris alors qu'elle allait me dire oui. Je dirais que c'est à ce moment-là qu'elle a pris sa décision. Ta mère a toujours aimé les blagues. »

Sa gentillesse et sa sérénité... c'était peut-être de l'indifférence. Il ne le sut jamais.

C'est à côté de ce même arbre, un autre après-midi, que quelque chose lui avait coulé dans l'œil, si on peut dire ; une saccade lui avait secoué la tête, ses doigts s'étaient levés et lui avaient tordu les lèvres. Elle avait parfois vu des moutons et des vaches transformés en amphibiens et, un jour, un cheval, tous avec un ventre distendu comme pas deux. Mais jamais le corps d'un homme en chemise à carreaux lentement entraîné par le courant, le visage dans l'eau.

Tout en cherchant une longue branche ou autre chose, elle avait lâché des sons geignards.

Son père l'avait attrapée par-derrière : sa sirène chérie avait encore dû faire une danse du ventre. Pas loin en amont se trouvait l'endroit où il conservait sa bière au frais, immergée dans un sac en toile de jute, à un coude de profondeur. Pour l'heure, il lui flanquait des coups de poing entre les épaules.

« Laisse-le donc, pauvre niguedouille. Il va se retrouver crocheté bien assez tôt. Arrête de pleurnicher, t'entends ? »

Pendant qu'il était en train de lui parler, le corps s'était arrêté et le fleuve, dans un tourbillon, l'avait soulevé et fait basculer. Le visage s'était tourné vers eux. Mais elle savait déjà que c'était le cueilleur de fruits tout maigre qu'on avait vu avec sa sœur.

Elle s'était demandé si elle ne pourrait pas l'attraper avec un bâton. Mais le corps avait oscillé avec le courant et poursuivi sa route. Il avait fini par s'arrêter près du pont de la ville, coincé dans la fourche d'un arbre, en compagnie d'un seau et d'autres détritus. Quelle fin : au milieu de choses d'une banalité extraordinaire.

Des jours durant, leur sœur, ronde comme perle, avait refusé de parler à quiconque. Puis on la retrouva en train de manger des poignées de terre, et leur père y vit la preuve, s'il fallait encore une preuve, d'une forme de déficience totalement différente — même la brutalité de son coude ne parvint pas à l'arrêter.

Ailleurs, dans l'histoire, des vierges se sont imaginées enceintes ; il y a de nombreuses anecdotes à ce sujet. Mais, elle, elle se sentait maladroite dans sa pesanteur. Elle était deux et voulait redevenir une ; ou du moins se séparer de cette pesanteur vivante supplémentaire qui l'accablait en plusieurs points. Un fluide la poussait vers la terre : éponge lourde de liquide. Même ses jolis pieds étaient enflés. Elle n'avait plus conscience des jours qui passaient. Elle était trop jeune. C'est pour la seule raison qu'elle n'avait rien d'autre à faire qu'elle répondit un week-end à l'annonce de Holland et qu'elle s'absorba dans une correspondance suivie. Allez savoir pourquoi, elle avait deviné que l'expression « jeune veuve » , même si elle ne l'était pas vraiment pour l'état civil, faisait office de chiffon rouge au regard d'un homme qui était loin. Avec l'aide de sa sœur aînée, elle répondit, quand il suggéra un échange de photo : « Venez plutôt juger sur pièces ! »

Et, quelques jours plus tard, il était là, planté dans l'encadrement de la porte, pas vraiment attendu. Personne ne savait où se mettre.

Celle qui était ronde et souillée fit de son mieux pour se fondre dans les fleurs et les ressorts du canapé et lâcha dans un sifflement : « Moi, je lui cause pas, c'est à toi de le faire, vas-y. »

Elle et les autres se désagrégèrent dans l'ombre avec des petits rires étouffés. L'aînée se retrouva à devoir dire quelque chose ou, du moins, à rester assise là.

Du seuil, Holland la voyait très distinctement alors que son visage à lui était nappé dans l'ombre. En ne bougeant pas, elle paraissait s'offrir. Plus tard, elle se demanda si c'était à ce moment-là qu'elle avait pris sa décision.

C'est comme ça que ça se passa. Holland ne l'avait pas quittée des yeux. Et elle s'était surprise à écouter ce qu'il disait. Au bout d'un moment, elle s'était mise à répondre, avait fini par lever légèrement le bras, ce qui avait attiré l'attention sur ses cheveux extraordinaires.

3

Australiana

Une description de paysage s'impose.

En même temps (soyez-en sûrs), nous déploierons des efforts acharnés pour éviter les pièges rouillés qui s'attachent à la notion de paysage national, lequel est bien entendu un paysage de l'intérieur équipé d'un ciel bleu, du gommier géant obligatoire et, peut-être, de quelques mérinos en train de mâchouiller l'herbe décolorée en avant-plan, du genre qu'on entrevoit durant une crise de nostalgie et, paré de couleurs éclatantes, sur les calendriers que les bouchers de banlieue vous remettent à Noël avec les saucisses (chair à saucisse chère à mon cœur, *et cetera*). Chaque pays a son paysage, lequel se dépose par strates dans la conscience de ses habitants, éliminant ce faisant les revendications d'exclusivité formulées par tous les autres paysages nationaux. En outre, des multitudes d'eucalyptus ont été exportés vers différents points du globe où ils sont devenus de robustes arbres au feuillage clairsemé qui polluent aujourd'hui la pureté des paysages concernés. Des vues estivales d'Italie, du Portugal, de l'Inde du Nord, de la Californie, pour prendre des exemples évidents, peuvent a priori passer pour de classiques paysages australiens — jusqu'au moment où les eucalyptus paraissent ne plus être tout à fait à leur place, telles des girafes en Écosse ou en Tasmanie.

Nous donnerons donc quelques éléments descriptifs de la propriété de Holland qui, située à l'ouest de Sydney, reçoit de la pluie et des vents secs à certaines périodes de l'année.

En fait, le problème avec notre paysage national,

c'est qu'il a produit un certain type de comportement, lequel s'est façonné au fil des histoires qui se racontent, toutes ces histoires misérables et laconiques, aussi foisonnantes que les bardanes sur la toison des moutons et aussi difficiles à éliminer. Oui, oui : il n'y a rien de plus déprimant, de *déjà vu,* que de se coltiner une autre histoire triste ayant pour cadre les régions les plus reculées de l'Australie. Et, maintenant, en cette fin de siècle, juste au moment où on pourrait croire qu'elles se sont réduites à trois fois rien, voici que le même genre d'histoire marronnâtre fait son apparition en ville, travestie ! Des silhouettes évoluent entre asphalte et moteurs, déployant une sentimentalité solennelle bien connue ; parfois, l'histoire en question s'habille d'une brume poétique, suscite du plaisir à la lecture : il y a celle de l'ancien prisonnier de guerre au cœur d'or, ou sinon nous avons des jeunes femmes éperdues d'amour près du port, d'autres en train d'exprimer leur opinion sur une véranda dans les montagnes et, s'il y a des peintres dans ces histoires, alors, évidemment, on les campe dans la pureté de la misère... À intervalles réguliers, la virilité obstinée d'un père sans méfiance se voit placée sous le microscope des vieux quartiers du centre-ville, si l'on peut dire, façon de dégager les strates. Sans parler des centaines d'histoires dévidées, première personne du singulier, dans le confessionnal, avec bien d'autres encore à venir. Une sorte de psychologie appliquée s'est emparée de l'art de raconter des histoires, l'enrobe et en obscurcit le cœur.

Ce qui est fragile s'étiole ; les histoires qui prennent racine deviennent comme des choses, des choses difformes dotées d'un noyau illogique qui passent par des tas de mains sans s'user ni se défaire, mais en restant en essence fidèles à elles-mêmes, s'ajustant ici et là sur les bords, rien de plus, à l'égal des familles ou des forêts qui reproduisent un aspect d'elles-mêmes toujours différent ; la géologie des fables. À Alexandrie, on plantait les eucalyptus devant les maisons pour chasser les mauvais esprits, maladies mortelles comprises.

De la véranda de devant, la terre de Holland se déployait sur la droite en direction de la ville.

C'était le plus long bout de terrain visible, même s'il se terminait sur un flou pourpré et un reflet discret, comme si quelqu'un là-bas au loin jouait avec un miroir — petit mystère que Holland ne résoudrait jamais. Sur un côté, une ligne d'arbres se dressait bien raide, pareille à une coupe en brosse, d'où Holland émergeait à l'occasion, chair pâle sur lavis gris. Puis la terre descendait, ronde et lisse, comme si une main lui avait imprimé un modelé irrégulier, usé par endroits, vers la berge de la rivière. Elle s'élevait, puis s'abaissait, mais moins qu'avant, ligne brisée par des affleurements de roches. Les lapins avaient érodé le sol sous forme de ravins miniatures. Il y avait des serpents. Les gommiers rouges de rivière, qui résistent à la hache et à pratiquement tout le reste, accaparaient toute l'eau à leur façon ébouriffée ; il court beaucoup d'histoires sur leur dureté. Lorsqu'il longeait la rivière, Holland marchait prudemment sur les coudes de bois pourrissants et la boue noire, puis se baissait pour se faufiler partout. Et de grands oiseaux noirs planaient au-dessus de sa tête, lambeaux arrachés aux morts ailleurs, sauf que l'atmosphère était claire, le ciel bien dégagé ; l'espace d'un moment, tout paraissait possible ici.

Les gens des propriétés voisines s'appelaient Lomax, Cork, Cronin, Kearney, Gulley, il y avait même un Stain (le vieux Les) et les sœurs Sprunt ; les familles Sheldrake, Traill, Wood et Kelly étaient un peu plus loin. Un bonhomme de ce côté-là avait changé de nom pour prendre celui de son meilleur ami, mort sous un cheval. Il n'est pas de plus grand amour... En ville, il y avait un Long et un Short (Les encore une fois) ; et un Manifold ; M. Brian Brain et sa femme aux dents de lapin tenaient le seul et unique hôtel. Au volant de son camion vert tout vibrant, le fameux Zoellner, qui se manifestait pile tous les trois ans pour retoucher les sérifs sur les façades des magasins, ressemblait plus à un plombier qu'à un peintre en lettres ; mais malheureusement il ne compte pas. Car ces noms avaient des racines qui remontaient à loin, Irlandais des tourbières, natifs du Yorkshire, Écossais osseux. Des prénoms chrétiens ponctuaient les rues biscornues de Sydney : Clarence, Phil, George, Bert, Beth et un Gregory. Personne n'était encore jamais tombé sur un Holland.

En général, on apercevait Holland à mi-distance en train de fourrager sur un de ses terrains. Les gens qui se rendaient en ville disaient : « Derrière l'écorce ficelle, regarde. » Ou : « Un de ces jours, je m'en vais lui acheter un chapeau. » Et les hommes fouillaient la propriété des yeux pour apercevoir sa fille.

Le père de Holland avait été boulanger en Tasmanie ; un petit gars, plombages en or. Plus ou moins converti au méthodisme, il était toujours impatient d'entamer la journée du lendemain. Derrière le comptoir de la pâtisserie de la ville, il y avait une mince jeune femme dotée d'une toute petite bouche. Elle l'encourageait vivement dans ses idées et projets d'avenir proche, surtout pour ce qui concernait les petits pains au lait, avec pour certains des amandes cachées — juste une idée.

Peu après, elle lui fit clairement comprendre qu'il fallait qu'ils déménagent — et le plus loin possible du village que la grand-route coupait en deux.

« Je ne me vois pas continuer à vivre sur une île », lui expliqua-t-elle.

Par conséquent, Holland naquit à Sydney, dans une banlieue appelée Haberfield. Aujourd'hui encore, à Haberfield, on a l'impression que l'espace commence à se déployer et à s'ouvrir dans toutes les directions.

C'est là que les parents de Holland montèrent une petite affaire de sucettes qu'ils confectionnaient dans l'appentis de leur arrière-cour. Holland grandit avec l'odeur sirupeuse du sucre recuit et une mère aux mains poisseuses, ce qui pourrait expliquer pourquoi, sa vie durant, il n'accepta jamais, sous aucun prétexte, de sucrer son thé et qu'il résista très longtemps avant de finir par planter, dans un endroit qu'on ne pouvait voir de la maison, un gommier à sucre (*E. cladocalyx*), alors que tout le monde sait qu'il est impératif de connaître le gommier à sucre si l'on veut comprendre les eucalyptus, ne serait-ce que visuellement.

Les mentholées noires aux rayures de zèbre, enveloppées (une idée de sa mère) dans une luxueuse papillote de Cellophane, devinrent la spécialité des Holland. L'après-midi, le père changeait de chemise et allait livrer partout en banlieue.

Durant un moment, tout le monde à Sydney parut se gâter les dents à sucer des mentholées noires confectionnées dans l'appentis de l'arrière-cour d'Haberfield. Imprimeurs, directeurs de banque, agents d'assurance, fournisseurs de luxueux cartonnages, distributeurs optimistes et inspecteurs de la santé publique se rendaient tous à la source, écoliers compris, et pas un seul d'entre eux ne repartait sans son petit sachet de mentholées noires.

Un entrepreneur en bâtiment, qui était aussi le maire des lieux, se trouva attiré par la douceur humide et féminine de l'appentis et par l'allée de béton qui y menait. Il avait des poils roux ébouriffés sur les mains. Un après-midi, Holland entrevit dans un coin la nudité farineuse de sa mère, circulaire et fluide, un bout de sa bouche et, dessus, les épaules nues du maire.

Durant tout ce temps, le père de Holland ne vit aucune raison de cesser de sourire ; même en dormant, il fixait le plafond avec un sourire en or. En face de lui, tout — sentiments bizarres et avertissements compris — avait la même valeur. Et au lieu de le bercer de bien-être, son sourire perpétuel le colla dans la situation opposée : le visage prématurément usé, comme celui d'un jockey qui a trop longtemps forcé pour contrôler son poids. Le matin où il s'en alla avec sa valise, sa bouche était crispée sur le même sourire optimiste et pondéré alors que le peigne marron clair bravement accroché à sa poche de chemise à côté de son stylo à bille suggérait une tout autre histoire.

L'entrepreneur en bâtiment occupa alors un coin de la table de cuisine où il signait ses papiers et faisait travailler le téléphone ; des bouts de crayon, des carnets de récépissés et des échantillons de bois de placage et de carrelage s'entassèrent partout.

Outre le fait qu'il construisait des rues entières de maisons en briques rouges, des devantures de magasin, des garages, des motels ainsi que de longs murs orange brique, il avait ses fonctions de maire, ce qui impliquait qu'il porte une robe et qu'il assiste à des tas de cérémonies.

Et comme c'était un entrepreneur qui réussissait, ou un maire, ou peut-être comme c'était un homme, voilà qu'il se transforma en patriote fervent ; il se mit même à flirter avec l'idée de fabriquer des mâts de drapeau et de les vendre plus ou moins à prix coûtant. Il en fit réaliser un qu'il installa dans le jardin de devant à Haberfield, seul mât de drapeau à des kilomètres à la ronde ; pourtant, là, dans cette rue latérale, c'est à peine si notre drapeau national ondoyait ; à l'occasion, il attrapait les vents de terre, la nuit, quand il n'y avait personne pour le voir, mais c'est tout.

Il ne pouvait pas s'empêcher de tapoter des doigts, même quand il était au téléphone. Un homme d'affaires, expliqua-t-il au jeune garçon, était un homme qui avait des tas d'affaires à régler.

« Si tu n'as rien à faire, casse-moi donc ça. »

Une boîte de chaussures avait atterri aux pieds de Holland. La première idée qui vint à l'esprit de Holland, ce fut de se demander s'il allait entrer dans les chaussures de son beau-père.

« Si mes pieds me font un mal de chien, je ne me rends absolument pas service. Tu comprends ? Tu n'imagines pas le nombre de réunions et cérémonies que j'ai sur la planche. »

L'homme d'affaires subdivise le monde en unités gérables, dont certaines ne dépassent pas une fraction de seconde. La gestion de ces unités et la nécessité de combler toutes les possibilités qu'elles renferment finissent par vous absorber totalement. Pour y arriver, il faut constamment être dans le scepticisme ; oui, il s'agit de déployer du scepticisme positif, ce qui explique que les affaires ne représentent pas une vocation difficile pour les hommes. C'est à peine s'il leur reste du temps pour les choses ordinaires. Pour un entrepreneur porté à la spéculation et doublé d'un maire, le simple fait de se trouver des vêtements posait un problème. Il le contournait en achetant directement sur le présentoir une demi-douzaine de tout ce qu'il y avait — une demi-douzaine de ces chemises blanches unies, de ces chaussettes à motifs losanges, de ces souliers noirs à bout rapporté et à lacets.

Pour casser lesdites chaussures, Holland numérota les semelles. Il essaya ensuite la première paire et s'en alla crisser partout dans la maison. Il fit de même avec la deuxième paire avant de réintégrer le confort de ses propres chaussures, et ainsi de suite. Au cours de la troisième semaine, il s'aventura dans la rue — jusqu'au moment où, moins d'un mois plus tard, il rendit les six paires de souliers, prêts à porter, à son impatient beau-père.

Il suffisait d'une allusion à cet épisode pour que Ellen porte la main à sa bouche.

« Comment tu as pu faire ça ? Pourquoi est-ce qu'il ne s'en est pas occupé lui-même ?

— J'étais payé.

— C'est affreux, c'est l'une des choses les plus affreuses que j'ai jamais entendues. J'espère que je n'aurai jamais de beau-père. »

Holland parut intéressé. Il lui était agréable d'avoir une fille qui s'indignait en son nom, même si c'était largement exagéré.

« Avant que tu causes de ça, j'y avais pas songé une seconde, déclara-t-il en haussant les épaules. C'est une histoire moyennement intéressante entre des flopées d'autres, si tu vois ce que je veux dire. »

N'empêche, la saga des souliers fut le premier indice révélateur de l'instinct d'accomplissement, de clarification et d'ordre de Holland ; de sa façon d'englober totalement un sujet ou une situation donnés et du plaisir que cette absorption lui apportait !

Elle aimait le voir absorbé ; mais on ne savait jamais où cela allait s'arrêter. D'une certaine façon, leurs réactions contrastées devant l'histoire des souliers symbolisaient quelque chose de la séparation entre père et fille, même s'ils se ressentaient comme étant un et, à travers ça, elle vit la distance incertaine qui semblait exister entre elle et tous les autres hommes : pas tant une distance qu'une étagère à côté de son coude, avec un bord bien haut et bien droit.

À partir de la propriété, Holland manifestait une certaine prudence à l'égard des valeurs rurales environnantes, également notables dans la ville proche. Très tôt, il avait expédié sa fille chez les sœurs à Sydney, jusqu'au moment où — sans raison apparente — il l'avait brutalement fait revenir. À Sydney au moins, elle apprenait à coudre, à nager et à porter des gants. Au dortoir, elle s'était mise aux bavardages enthousiastes entre filles et avait développé l'usage des silences ; le week-end, tout en grattant des légumes chez de lointains parents, Ellen aimait écouter, mine de rien, les histoires que racontaient les hommes et elle observait une telle en train d'appliquer soigneusement son rouge à lèvres. Dans la propriété, elle évoluait en toute liberté. Holland semblait l'accepter. Puis elle se calma : à l'adolescence. Presque inconsciemment, il surveillait ses faits et gestes ; on aurait dit qu'il lui accordait sa protection. Dieu sait qu'il ne voulait pas que sa fille file vers l'Odéon tout sombre en ville où le projecteur bègue mangeait bien soixante-dix pour cent des mots, et puis qu'elle reste vissée sur les sièges du milk-bar fluorescent, comme les autres jeunes de son âge.

Si c'étaient là des restrictions, elles ne gênaient pas Ellen.

C'est vers cette époque qu'elle cessa de circuler nue dans la maison, alors que son père, tout en coudes et en genoux rouges, garda cette habitude dans le couloir menant à la salle de bains. Dans une attitude cantilever analogue, il allait piquer une tête, pratiquement tous les jours de l'année, dans la rivière, bite au vent, chose que les paysans ne font jamais, et se laissait porter dans l'eau brune en direction du pont suspendu, le regard fixé sur les nuages qui, encadrés par des branchages, prenaient, l'espace d'un instant, une forme de cerveau avant de se déployer en une tête ébouriffée de sage ou de savant — Albert Einstein, par exemple.

Il y avait une frénésie déplaisante dans la cavalcade nue de Holland et l'inconscience totale qui accompagnait ses baignades. Si Ellen le pensait, elle n'en disait rien. Du jour au lendemain ou presque, elle était devenue belle. Elle avait perdu sa tournure de petite flèche et affichait une silhouette plus pleine qui évoluait avec lenteur, à pas glissants. C'était une beauté mouchetée. Elle était tellement couverte de petits grains de beauté brun-noir qu'elle attirait les hommes, tous les types d'hommes. Ces taches de naissance du premier-né, un rien trop nombreuses, faisaient pencher la balance vers son visage et sa gorge : les hommes se croyaient libres de se promener partout avec leurs yeux, sur les espaces pâles pour revenir ensuite sur les points factuels, à la façon dont un point arrête une phrase qui divague. Et elle laissait faire, le visage soumis ; elle ne semblait pas les remarquer. Alors, les hommes se sentaient irrésistibles et allaient d'un grain de beauté à un autre, même sous son menton, et revenaient à celui qui touchait sa lèvre supérieure, et c'était comme s'ils couraient avec leurs yeux sur tous les détails de sa nudité.

La réputation d'Ellen se répandit progressivement de la ville vers les prairies et les collines ; les lignes de chemin de fer-meture Éclair l'ouvrirent à d'autres villes de province ; à des banlieues de Sydney ; des répliques d'ondes de choc touchèrent les capitales lointaines d'autres États, d'autres pays. Et l'idée de sa beauté grandit du fait même qu'elle était rare. Le visage, les membres aux taches de naissance et tout le reste demeuraient généralement de l'autre côté de la rivière, inaccessible, pour ainsi dire, à travers les arbres. Et à mesure que sa beauté mouchetée devenait légendaire, le soupçon grandit que le père cherchait à la cacher.

Un paragraphe n'est pas très différent d'un bout de terrain — même forme, même fonction. Et voici maintenant une association qui mérite réflexion : à l'heure actuelle, alors que les terrains croissent en superficie, l'évolution correspondante dans les villes où s'effectuent les tirages sérieux s'oriente vers des paragraphes plus petits. Une suite de petits terrains peut s'avérer aussi irritante que les grands sont ennuyeux. Le paragraphe à une idée qui remplit les journaux constitue une difficulté. Les gens qui écrivent pour les quotidiens passent leur vie à pister des personnages hors du commun pour une raison ou pour une autre — équivalents humains des tremblements de terre, des catastrophes ferroviaires, des fleuves en crue — et rédigent sur eux de petits paragraphes alors que tout le monde sait qu'un bref aperçu rectangulaire est insuffisant. Les gens qui constituent la trame des journaux ont déjà fait de leur vie quelque chose qui se voit, grand ou petit, éphémère ou durable, ce qui explique sûrement pourquoi les journalistes manifestent un intérêt disproportionné pour les propriétaires de journaux : car c'est là l'un des leurs, ou presque, qui est hors pair. Holland aussi attirait les journalistes, dont certains traînaient en remorque le photographe piteux des grands formats de Sydney. À l'heure actuelle, il est courant d'arpenter (comme les reporters étaient obligés de le faire) un terrain donnant l'impression de s'étendre jusqu'à la fin des temps, amen. Il peut y avoir d'autres terrains congestionnés, mal tenus, qui limitent les déplacements. Il est tout aussi facile, de nos jours, de se retrouver bloqué au milieu d'un paragraphe, ou même d'y faire la culbute ! Comme sur un terrain, il est parfois nécessaire de revenir sur ses pas. Facile de se décourager, de se perdre. Dans ce genre de situation, comme dans d'autres, on a envie de prendre un raccourci. « Un terrain à problème » — voilà une description banale. Les mots, jacasseries, se formulent à l'intérieur du terrain (paragraphe). Le rectangle est une marque de civilisation : l'Europe vue du ciel. Civilisation ? Un paragraphe commence comme un rectangle et, selon le hasard, peut fort bien finir en carré. Qui a dit que le carré n'existait pas dans la nature ? À son point d'entrée, un terrain présente une altération de sa clôture, tout comme le paragraphe présente une découpe pour stimuler l'entrée. Un terrain est également truffé de noms et de termes latins en italiques, même s'il s'agit apparemment d'un terrain inculte. Quand Holland commença à planter ses arbres, c'était de manière insouciante, sans dessein apparent.

Un paragraphe est censé mettre une clôture entre des pensées vagabondes.

4

Diversifolia

Le mot *eucalyptus* vient du grec, « bien » et « couvert ». Il décrit quelque chose de spécifique à ce genre. Jusqu'à ce qu'elles s'ouvrent, prêtes à être fertilisées, les fleurs d'eucalyptus sont protégées par un opercule, ce qui, de fait, place un couvercle sur les organes reproductifs.

Tout cela est très prude. En même temps — et nous voyons ici que le paradoxe est une caractéristique majeure de l'eucalyptus —, les feuilles qui les entourent affichent des mœurs presque dissolues, vu la façon dont elles exhibent tout un tas de différences d'épaisseur, de forme, de couleur et d'éclat : « un caractère changeant », pour formuler les choses à la manière botanique. Une ou deux espèces arborent même des feuilles panachées. Curieusement, chez les eucalyptus, plus les feuilles sont haut placées sur l'arbre, plus elles sont petites. Autre paradoxe : ce sont les eucalyptus les plus grands qui ont les fleurs les plus petites.

Les écorces présentent une ahurissante gamme de textures, de couleurs *et cetera,* inhabituelle chez un seul genre, et se posent souvent en ultimes arbitres dans le jeu de l'identification.

Il y a toujours un savant débat quant au nombre précis d'eucalyptus. Il est de plusieurs centaines, mais cette donnée ne cesse de varier. À intervalles réguliers, on assiste, dans un sombre recoin institutionnel, à une manœuvre carriériste visant à réduire le total en question. Récemment, on a laissé entendre que le gommier spectre, depuis longtemps considéré comme l'archétype de l'eucalyptus, n'était pas du tout un eucalyptus, mais un membre de la « famille Corymbia ». Son nouveau nom, s'il vous plaît, serait *Corymbia aparrarinja.* N'est-ce pas là un mariage de la mafia et de l'aborigène ? Des tas de gens essaient de s'arranger de ça. Les racines d'une jeune nation ne sont guère profondes et, patriotiquement parlant, la moindre perturbation peut modifier son équilibre. Le nationalisme n'est qu'une façon de se raccrocher à n'importe quoi, ni plus ni moins. Il ne nous reste qu'à espérer qu'on reviendra sur cette décision concernant le gommier spectre ou du moins qu'on la repoussera à plus tard. D'un autre côté, l'eucalyptus invisible, l'*E. rameliana*, qu'on ne connaît que par ouï-dire, alors qu'en fait aucune autorité ne l'a vu, a pourtant fini par être repéré en 1992 dans les étendues désertes à l'ouest d'Uluru, augmentant d'un sujet le nombre total des eucalyptus. À propos, M. Ramel est le monsieur qui a introduit les eucalyptus en Algérie.

C'est cette diversité chaotique qui a attiré les hommes vers le monde des eucalyptus. Car il y avait là un dédale de demi-mondes préliminaires et de semi-descriptions qui ne cessaient de s'amplifier et de se rétracter, de manière quasi incontrôlable — monde à l'intérieur du monde, mais trop mal contenu. Cet état de chose réclamait un « système » d'un certain type, à l'intérieur duquel il convenait d'imposer un ordre dans un domaine de la nature d'une multiplicité turbulente.

Cette tentative d'« humaniser » la nature en nommant ses parties a une longue histoire, une histoire distinguée. Dès lors qu'un sujet donné est décomposé en parties, que chacune est identifiée, nommée et répertoriée selon tel ou tel groupe — classification périodique des éléments, classification des minéraux, catégories de poids des boxeurs professionnels —, le tout se voit attribuer des limites et devient acceptable, ou digestible, presque. On peut y voir aussi la preuve résiduelle d'une très vieille peur, la peur de l'infini. N'importe quoi pour échapper aux ténèbres de la forêt. On sait qu'il y a des hommes et des femmes qui consacrent leur vie à l'étude des feuilles d'eucalyptus et à rien d'autre et qui vieillissent sans avoir fait le tour de la question. Au bout d'un certain temps, ils ressemblent à ces gentilles vieilles tantes célibataires qui, si on le leur demande, font étalage d'une formidable connaissance généalogique, prénoms et histoires des diverses branches de la famille, qui a épousé qui et combien d'enfants, leurs noms, leurs maladies, qui est mort de quoi, *et cetera* ; l'histoire des hybrides.

Ce qu'il y a, c'est que, dans l'univers des arbres, il n'y a que l'acacia pour compter plus d'espèces que l'eucalyptus — mais regardez l'acacia, une collection de petits arbustes pathétiques. À chaque fois que, dans sa propriété, Holland repérait une touffe de cet épineux, il s'empressait de l'arracher.

L'eucalyptus à feuilles de saule (*E. salicifolia*), sur la petite déclivité entre la maison et la rivière, fut planté peu après le bloodwood jaune. En conséquence, il est figé dans le panthéon de Holland, à l'instar, dans certaines petites villes, des noms gravés des soldats qui, au mépris de toute prudence, ont emmené une charge à travers un no man's land. Pendant qu'il étudiait la taxinomie botanique et découvrait que le *E. salicifolia,* un sujet originaire de Tasmanie, était également connu sur le continent sous le nom de *E. australiana,* l'arbre se mit à attirer l'attention sur lui comme une sorte de mât de drapeau de l'inconscient.

Bien entendu, quel que soit l'angle sous lequel on le regarde, l'eucalyptus à feuilles de saule ne ressemble absolument pas à un mât de drapeau (et Holland n'avait pas le droit de charger un simple eucalyptus d'associations sans valeur).

Il n'a rien d'élancé et n'est assurément pas blanc : prenez plutôt le boongul ou l'écorce de suif ou le blanc wallangarra, splendides exemples décorant la terre de Holland, sans parler du gommier spectre qui est blanc comme un linge. En fait, la partie inférieure normalement lisse du fût de l'eucalyptus est, chez l'*E. salicifolia,* masquée par une masse de rameaux et de feuilles, à la façon dont une barbe envahit le menton mou d'un homme, limailles sur un aimant.

Voir *E. eximia* et *E. australiana* se développer avec leurs courageuses petites feuilles brillantes avait dû encourager Holland. Sans aucun dessein particulier en tête, il en avait planté quelques sujets de plus.

Mieux valait avoir des arbres que rien, disait l'œil ; ici, on n'était pas au Sahara.

Même à l'époque (c'est-à-dire depuis le tout début), il n'envisagea jamais d'opter pour des *espèces acclimatées* — chênes, noyers, saules, saules-qui-peut, divers ormes générateurs d'ombre, cèdres et cyprès méditerranéens, sans parler du pin incurablement lugubre — mieux valait les laisser se faire réduire en pulpe pour les quotidiens et le papier bon marché qu'on consacre à l'heure actuelle aux ouvrages littéraires et philosophiques. Ses affinités avec les eucalyptus étaient à la fois vagues et naturelles ; et il ne tarda pas à faire des rêves au ralenti à leur sujet. (Il n'y aura pas ici de descriptions des rêves de Holland sur les arbres ! Ça ne ferait qu'éprouver la patience du lecteur ou bien encourager les interprétations. Dans la vie citadine, les forêts font partie des rêves, de même que les fleurs, les dents et les nez en gros plan, ainsi que le classique vol ultra-lent où on plane et où on se rapproche à toute vitesse, alors que la personne qui dort à la campagne où il y a moins d'ombres et plus d'espace entre les objets et les gens...)

Après avoir planté une douzaine de sujets environ, Holland prit du recul et se rendit compte qu'il allait lui falloir en ajouter d'autres ici et là pour éviter de donner à sa propriété un air artificiel, déséquilibré.

Il suivait en cela les traces des plus grands maîtres de la peinture et des paysagistes anglais qui ont bataillé avec la difficulté de reproduire le côté aléatoire de la véritable harmonie que la nature illustre si tranquillement.

Bien entendu, il y avait déjà des tas d'eucalyptus dans la propriété à l'arrivée de Holland. Les frères n'avaient pas tout abattu. Les gommiers rouges à écorce ficelle et les gommiers rouges à écorce de fer étaient disséminés un peu partout — c'étaient des natifs de la région ; il en allait de même pour le faux buis jaune, le préféré des apiculteurs — il était partout. Des gommiers culbuteurs se déployaient sur la crête, les gommiers scribouilleurs poussaient sur le plat, de même que les roses-de-l'Ouest qui arrivent rarement à hauteur d'homme. Il restait quelques faux buis rouges du continent : les fermiers les abattent à la hache pour en faire des pieux de clôture. Le vent et le hasard avaient propagé d'autres espèces, dont chacune différait du reste. Impossibles à voir de la ferme, les terrains ici et là renfermaient des eucalyptus rares au milieu des banals sujets indigènes. Personne ne savait comment ils étaient arrivés là. Une crapule de frêne des montagnes (*E. gigantea*) régnait sur la pente au-dessus de la demeure, imposant une grossesse à la clôture. Comme c'était, et de loin, le plus grand arbre de la région, il servait de camp de base à des générations d'aigles audacieux, de corneilles et de perroquets, dont les constructions en branchages aériens rappelaient de sombres accumulations au fond d'un tamis. À quelques mètres de distance se trouvait un Tuart (*E. gomphocephala*) trapu. Nous avons là encore une fois un arbre qu'on voit rarement à l'est de Nullarbor. Une graine avait dû tomber du ciel ou du revers de pantalon de quelqu'un. Un truc dans ce genre, avait décrété Holland.

Équipé d'un œuf dur et de manuels de référence dans un sac à dos, Holland parcourut ses terres en tous sens, absorbé par l'identification de tous ses eucalyptus sans exception. Il lui fallut souvent envoyer des spécimens de fruit et de feuille à une autorité mondiale à Sydney et chercher un second avis ailleurs. Il n'existait pas un seul expert en eucalyptus qui eût toutes les réponses. Tout pâles et susceptibles, ces experts, relégués comme ils l'étaient dans les eaux stagnantes de leurs institutions dénuées de raisons d'être, répondaient par retour de courrier avec un enthousiasme obligeant en donnant beaucoup trop de détails.

À l'époque, Holland écoutait n'importe qui avec intérêt. Il quittait l'hôtel un matin quand un bonhomme au visage ravagé le prit par le coude à la façon du Vieux Marin et divagua à loisir sur les avantages du brise-vent scientifique ; le même soir, Holland entendit la même chose à la radio expliquée d'une voix sobre, nettement plus raisonnable.

Parallèlement à l'un des murs de la maison, il planta cent dix jeunes plants qu'il disposa scientifiquement. Les espèces choisies étaient réputées faire écran au vent : des gommiers de Steedman à la croissance rapide et des Mugga, gommiers rouges à écorce de fer — dont le nom spécifique, *E. sideroxylon,* évoque davantage les hauts fourneaux que des feuilles et de jolies fleurs. Au milieu de cette géométrie tout en longueur, Holland plaça un intrus, un unique gommier gris à écorce de fer. Il ne commencerait à se remarquer que des années après, ce qui allait avoir, pour Ellen, des conséquences si atroces qu'elles en seraient presque insupportables.

Un gommier bleu, un saumon et d'autres suivirent rapidement. Le gommier bleu est celui qui se trouve en dessous de la maison et qui, vu sous certains angles, ressemble à une épingle fichée dans un chapeau de femme : il est presque noyé sous des herbes patriotiques — dorées en été. Holland accrocha une balançoire pour Ellen à ses branches les plus basses. À cet endroit-là, le terrain présentait une déclivité, puis s'élevait de nouveau en douces ondulations ; il demeura désertique et poussiéreux comme un mouton tondu jusqu'au jour où la main de Holland lui donna des allures de parc. Le gommier bleu se reconnaît facilement. Son nom, *E. globulus,* à cause de la forme de son fruit, signale maintenant la distribution impériale de cet arbre majestueux :

à travers tout le bassin méditerranéen, par forêts entières en Californie et en Afrique du Sud et dans tous les États d'Australie.

Quant à *E. salmonophloia,* Holland lui avait octroyé une place primordiale à l'entrée de la propriété.

Holland devait savoir que les gens du coin allaient se figer sur place en le voyant. En général, c'est de l'autre côté du continent, près des champs aurifères de l'Australie-Occidentale, qu'on rencontre le gommier saumon. Saumon fait référence à son écorce rosée. Transplanté, le tronc de l'arbre de Holland était lisse comme de la poudre, on aurait dit du caoutchouc ; « couleur d'un ventre de nonne », aurait affirmé quelqu'un d'autre.

Les arbres ont suivi les grandes migrations des Irlandais, des Italiens, des Juifs, des Britanniques et des Grecs à mesure qu'ils s'enracinaient en terre étrangère. L'effet associé des différentes couleurs, de leurs ombres et de leurs besoins en eau, de même que la chute des feuilles déclenchent des malentendus et une franche hostilité — au Portugal, les paysans ont arraché de jeunes eucalyptus — jusqu'à ce que ces arbres finissent par faire partie du paysage devant lequel toutes les cultures vivent leur vie.

Sur le terrain plat bordant la rivière, des espèces au tronc lisse ont été choisies pour illustrer (c'est l'impression qu'on en retirait) l'immobilisme uniforme d'une plantation d'hévéas ; et de longs rectangles de lumière argentée tombaient à l'oblique à travers les verticales rondes des fûts, tels des projecteurs qui, cherchant à retrouver un évadé solitaire, n'auraient attrapé que quelques papillons de nuit et des oiseaux insouciants.

Ellen aimait courir à l'aveuglette au milieu de tous ces arbres jusqu'à ce que le silence remplace le bruit de ses pas, qu'il voile ses yeux et obscurcisse son esprit avec des formules comme *Croissance inévitablement lente, Patience éternelle* et *Il n'y a jamais une seule chose* ; cernée par la multiplication des impassibles troncs d'un diamètre identique et d'un même satiné vert-gris, elle s'imaginait à moitié perdue et, perdant alors tout sens de l'orientation, poussait un faible cri, à peine plus fort qu'un couinement dû, en fait, à l'émotion de savoir que son père et la maison n'étaient qu'à quelques minutes de là. Elle fit cela le jour de ses premières règles ; façon de célébrer son développement et sa confusion. Le rouge pâle de ses empreintes appliquées sur un tronc constitua la seule et unique couleur primaire de la futaie.

Quand elle restait totalement immobile, elle remarquait toutes sortes d'insectes et de petits reptiles qui bougeaient sur des surfaces irrégulières tandis que les sabots d'un cheval au loin n'étaient en fait que la hache Kelly de son père, lequel pratiquait une annélation sur des arbres en surplus afin d'adapter ses plantations à ses besoins.

La tranquillité est beauté, toujours.

Dans notre pays, une tradition inoffensive veut que les propriétés les plus grandes guident l'œil de la route à la ferme par le biais d'une allée, verdoyante voie de communication bordée de platanes ou de peupliers droits comme des plumes, selon l'histoire de la propriété et les perceptions de grandiloquence des propriétaires ; leur façon de se situer dans le district.

Après consultation des anthographies disponibles, Holland avait retenu les eucalyptus pour la densité de leurs feuillages, tous différents, mais devant atteindre la même hauteur.

Pour l'aider, Ellen avait tenu le cordeau.

« Un beau jour, tout cela te reviendra », avait déclaré Holland en donnant une vive torsion sur la tarière.

Comme toujours, son père s'était exprimé par brèves affirmations. Cette fois-là, une question avait semblé lui distendre la mâchoire :

« Tu aimes la maison, comme endroit ? »

Elle avait pensé à sa chambre avec ses affaires et les rideaux bleus, aux vérandas, à la chaleur de la cuisine. Il y avait beaucoup de pièces vides. En revenant dans la tour après plusieurs mois, elle avait retrouvé, décolorées, des poupées qu'elle avait oubliées là. De temps à autre, la perspective d'avoir un frère prenait un caractère pressant, même si elle se demandait s'il la laisserait le suivre. Et lui, cette forme de père, passait presque pour un frère quand — un exemple — il lui permettait de lui rire au nez lorsqu'il recommençait à expliquer que les renards, la nuit, avaient des yeux mauves et que, par terre, les araignées brillaient comme des étoiles.

Après les brise-vent, la « plantation d'hévéas » et l'allée ornementale, Holland abandonna les formations de masse. Il se concentra alors sur des espèces particulières, plantées par sujet. Cela mis à part, il n'y avait aucun plan derrière son programme. Il remplit progressivement le paysage. Il connaissait de longues périodes de sommeil. Il passait des jours et des semaines d'inactivité couché dans son lit, puis s'ensuivait une activité intense. Tout du long, il évita de planter deux mêmes arbres ; il se retrouva vite confronté à des problèmes d'approvisionnement. Plus son projet marchait, plus il lui créait de soucis.

Il consacra de nombreuses années à l'abattage, ce qui réduisit la plupart des espèces à un unique spécimen sain.

Parallèlement, il renforça ses canaux d'approvisionnement ; il lui fallait aller bien au-delà de l'État de la Nouvelle-Galles du Sud. De précieuses informations lui parvenaient des sources les plus inattendues. Le domaine de Holland avait pris un air différent et les gens se mirent à le regarder, lui, différemment. Quand ils écoutaient, ils affichaient des sourires que l'on pourrait peut-être qualifier de prudents. Il était tout à fait naturel que les gens du coin se montrent imprécis sur la question des eucalyptus, qu'ils fassent preuve de trous de mémoire consternants ou qu'ils mentionnent négligemment quelque chose sans en mesurer l'importance. Souvent, lorsqu'il bavardait en pleine rue, Holland sortait un bout de papier et notait un détail ; par exemple, l'adresse, dans le Territoire du Nord, d'une vague pépinière en bordure de route tenue par le petit cousin de la belle-sœur de quelqu'un, un Letton, qui possédait tous les perroquets d'Australie en cage et avait poussé jusqu'à la précision photographique l'art de peindre des paysages désertiques sur des œufs d'émeu. C'est là que Holland fit l'acquisition d'un *E. nesophila,* un amateur d'île, qui a un fruit en forme d'urne, et d'un gommier à feuilles dures (*E. aspersa*), très rare, à la croissance difficile.

Une semaine sur deux, on voyait Holland sur le quai de la gare en train de récupérer des jeunes plants enveloppés dans des tissus humides et l'une des sœurs Sprunt se plaignait à qui voulait bien l'entendre que les camions poussiéreux qui livraient d'autres spécimens encore l'empêchaient de dormir la nuit. La receveuse des postes signala, elle aussi, un flux régulier de graines circulant dans des bruissements d'enveloppe en papier kraft ainsi que des revues mensuelles et des factures ornées de brins d'arbre.

Les jours où Holland avait déniché un spécimen particulièrement rare, il se sentait une âme de pêcheur de perles qui vient de remonter à la surface, un trésor à la main. Certains eucalyptus étaient rares parce que, sauf cas exceptionnels, ils ne s'enracinaient pas au-delà d'un étroit périmètre. Ils étaient sensibles à l'humidité du terrain, au pourcentage de calcaire dans le sol, au gel, à l'altitude, aux précipitations et à Dieu sait quoi. Certains refusaient obstinément de pousser au mois de mars, d'autres la semaine d'après Noël. Tel arbre s'épanouissait dans l'ombre d'un autre ; tel autre non. C'était des hypocondriaques qui exigeaient des engrais ésotériques et un arrosage manuel.

Comment réussit-il à faire pousser un Woollybutt de Darwin (*E. miniata*) — qui atteignit une belle taille — ou des sujets nés dans des déserts de sable ? voilà qui tient du mystère. Le cime argent à écorce ficelle (*E. laevopinea*) réclame cent millimètres de précipitations par an tandis que le gommier des neiges, comme son nom l'indique, s'épanouit en altitude, au milieu de la neige et du verglas. Allez savoir pourquoi, il y avait des eucalyptus qui venaient dans des terrains ordinaires alors que, d'habitude, ils réclamaient de l'argile, des plaines marécageuses ou du granite. Après de nombreux faux départs, il encouragea le petit frêne à cime jaune, comme on l'appelle, à pousser entre des pierres. *Et cetera.*

Cet énorme labeur à la hache, à la barre à mine et au seau et ses allées et venues, tête nue, à travers champs lui valurent des mains rugueuses et des ongles fendus, lui ridèrent la figure, la lui hâlèrent ; pourtant, lorsqu'il avançait dans la rue principale, il était évident qu'il y avait encore chez lui des traces de mets délicats, de pâtisseries, lui, le fils unique d'un boulanger trahi.

Réussit-il finalement à faire pousser sur sa propriété tous les eucalyptus connus ? Qu'allait-il faire ensuite ? Avec sa fille, Ellen, il avait toujours encouragé les questions ; mais, apparemment, celle-ci n'était pas intéressée par le sujet. Il continuait à attendre. Un père attend toujours sa fille. Si seulement elle l'avait consulté, il lui aurait dit tout ce qu'il savait. C'était une autorité mondiale dans un domaine étroit. Ce n'était pas qu'il avait envie de distribuer des miettes de savoir, ce qu'il voulait c'était partager son intérêt. Au début, elle avait été son assistante. Ensemble, ils avaient planté plus d'une centaine d'arbres, jusqu'au moment où elle avait paru perdre tout intérêt.

C'était virtuellement un musée arboricole en plein air. On pouvait se promener entre les multiples espèces différentes, glaner toutes sortes d'informations, et, en même temps, s'enthousiasmer, au point parfois d'en rester muet, pour de véritables spécimens de la beauté. La diversité même des eucalyptus était un enseignement. Il suffisait de bouger la tête, pour apercevoir un nouvel eucalyptus d'une taille, d'un feuillage et d'un type d'écorce différents et, en plus, il y avait la ferme à l'aspect curieux, impressionnante de par son déséquilibre sombre et, entrevue derrière une fenêtre ou en robe de coton au second plan, un coude soudé à un arbre, sa fille.

Holland avait joué avec l'idée d'attribuer des plaques nominatives aux arbres.

Il avait fini par les faire réaliser par la firme qui fournissait les jardins botaniques royaux de Sydney, noms vulgaire et spécifique soigneusement gravés sur des rectangles d'aluminium résistants aux intempéries, de la taille d'une main environ. Un jeune homme intelligent les avait livrées personnellement — un des associés de l'entreprise. Ils les avaient vérifiées ensemble sur la véranda, tout en bavardant de choses et d'autres. L'affaire leur avait pris des heures. Quand Ellen était arrivée avec le thé sur un plateau, ils étaient tellement occupés qu'elle n'avait pu voir que la nuque de l'inconnu, et Holland ne l'avait pas présentée. Plus tard, Holland avait laissé les plaques entassées dans un coin de son bureau, lequel lui servait également de chambre. Après tout, il était alors capable d'identifier chaque eucalyptus, presque sans les regarder.

Quelques notes, rien de bien arrêté, sur la *beauté féminine.* Brièvement, et sur un mode grave, timide. Bien sûr ; pourquoi pas ? L'idée de la beauté d'Ellen avait parcouru de longues distances (il paraît qu'elle avait franchi deux océans) et avait, ce faisant, donné naissance à une petite légende.

Il mérite d'être noté ici qu'une beauté de porcelaine produit chez l'homme une réaction plus molle qu'une « beauté » apparemment plus consciente d'elle-même. Douceur, joliesse — voilà qui est fatal. Chez le mâle, ces qualités rappellent obscurément la Mère. Et — sexuellement parlant — qui désire ça ? Alors que si la composante majeure de la beauté est une certaine insatisfaction ou un mauvais caractère, cela bannit chez l'homme toute association avec la mère et permet donc une attirance immédiate et dénuée d'encombrements sur un large front.

Chez Ellen, tout cela était multiplié par un autre facteur.

Durant la brève période où les femmes portèrent des bibis à voilette qui leur masquait le visage, tel un papier millimétré délicatement froissé, les petits rectangles pleins ici et là semaient sur leur peau une distribution erratique de taches de naissance et de grains de beauté orientaux. Or, la beauté mouchetée d'Ellen rappelait cet effet de voilette — protégée, voilée, même de près ; une sorte de fausse pudeur, provocante.

Afin de survivre, elle devint distante, évita les regards des hommes en ville.

Le premier à voir Ellen nue fut le fils unique d'un vendeur de tracteurs du coin, Molloy. Il était populaire, c'était un footballeur costaud. Son père venait de lui offrir une moto avec un réservoir à essence chatoyant.

Un chemin de terre longeait la propriété de Holland : il n'avait pas d'autre utilité que de mener à la ville, alors que son jumeau, le cours d'eau à la couleur identique qui s'éloignait dudit chemin en un mouvement paresseux, nourrissait sur le méandre au loin une masse de gommiers rouges de rivière qui ne manquaient jamais d'attirer l'œil des sportifs, même s'il fallait, pour les atteindre, se faufiler à quatre pattes à travers les sous-bois. Et là, caché par des branches qui pommelaient l'eau et lui donnaient des couleurs d'écaille de tortue, il y avait un bassin naturel sablonneux.

Par une journée très chaude, Ellen se jeta dedans... remonta à la surface en repoussant des deux mains les cheveux qui lui étaient tombés sur les yeux. Pendant un moment, elle resta allongée sur le dos, les paupières closes ; et, dans cette pâle association de chair et d'eau susceptibles, l'une comme l'autre, d'être portées jusqu'aux lèvres ou pénétrées par la main, trois zones sombres apparurent, invitantes.

Quand elle se redressa au milieu des eaux peu profondes, ses seins ballottèrent un peu.

Sur les deux berges, les gros gommiers faisaient penser à une congrégation de robustes femmes mûres occupées à remonter leurs jupes au-dessus des genoux pour entrer dans la rivière.

Ellen s'accroupit, se mit à pisser.

Le jeune Molloy était derrière un arbre. Pour mieux voir, il s'accroupit lui aussi. Une mouche entreprit d'avancer vers son nez. Il finit par baisser les yeux — pour contempler l'avenir ?

Quand il s'en alla en accélérant, les jambes écartées

autour du moteur, les yeux de plus en plus fendus, humides, il beugla en repensant à ce qu'il lui avait été donné de contempler. Sans trop d'avertissement préalable, il sentit que ses roues glissaient sur le chemin de terre, que le moteur s'emballait, et il ouvrit grand la bouche quand sa figure rencontra le fil de fer barbelé qui lui arracha la plus grande partie du nez.

En tant que propriétaire de la clôture, Holland fut un des premiers à lui rendre visite.

« Il se laissait vraiment beaucoup aller, confia Holland à Ellen. Ses deux parents étaient présents, sans rancune envers la clôture. Ils sont juste contents qu'il soit toujours là. Ils n'ont parlé que de ça. Je suppose qu'il est encore vivant, mais ce ne sera pas grand-chose comme vie. Il sera juste bon à traire les vaches. »

Molloy perdit un œil et, très vite, l'autre.

Ellen avait entendu parler de son charme robuste. On disait en ville qu'il avait un côté voyou.

« Je ne veux jamais te voir à l'arrière d'une moto », déclara Holland.

Un matin, devant le Commercial Hotel, Ellen éclata de rire — un son que personne en ville n'avait encore jamais entendu. On aurait cru qu'une grande chute d'eau d'Afrique ou des Andes avait été transposée dans la vieille rue poussiéreuse.

Apparemment, son père avait dit quelque chose de drôle. En le regardant avancer d'un pas traînant, Ellen éclata de rire et, quand il lui décocha son sourire à deux temps, ailleurs qualifié de *sourire trouble,* elle renversa sa gorge en arrière et redoubla de rire.

Une fille se moquant ouvertement de son père : d'autres femmes interprétèrent comme de la gaieté le pouvoir de sa beauté adulte débordante.

Tout le monde était fier d'elle ; penser qu'une telle beauté, si rare, vivait parmi eux.

Devant elle, il était classique que des hommes solides perdent leur langue. En la voyant, certains se retrouvaient victimes d'une sorte de paralysie. Quand Ellen descendait en ville, ils ne savaient plus que rester figés sur place à sourire, béatement. Pour conjurer cela, les gars qui passaient à toute vitesse devant la propriété prirent l'habitude de donner des coups de Klaxon qui, filtrés par la rivière et les troncs des centaines d'eucalyptus, parvenaient jusqu'à la maison comme le vague beuglement de bœufs en mal de sexualité.

Bien entendu, il y en avait qui l'approchaient audacieusement et lui parlaient. Il fallait d'abord qu'ils passent devant son père. Et ce dernier ressemblait davantage à un entraîneur de tennis qu'à un père, jamais il ne quittait sa fille des yeux. Si un jeune homme dégingandé donnait l'impression de tomber sur eux par hasard et qu'il ouvrait la bouche pour dire quelque chose, ou si Holland déboulait dans la rue et trouvait sa fille au soleil en train d'écouter à moitié un homme, ou plusieurs, il se plantait à côté d'elle avec un air de concentration sévère. Au milieu d'eux, il était l'expert. Après tout, c'était sa fille ; il la connaissait mieux que quiconque.

Le problème était qu'il n'y en avait pas un qui lui parût intéressant. Ils avaient tous un truc qui clochait, sinon dans leur manière de s'exprimer, alors dans leur allure ; celui-ci souriait trop, pour celui-là, c'était la taille de ses pouces. Les pires, et de loin, étaient ceux qui manifestaient une aisance agressive. Ils étaient littéralement bouffis de familiarité et avaient des cheveux ratissés comme un champ à l'heure des semailles.

Ils ne faisaient que commencer, comme le pays luimême. Holland ne savait que leur dire.

Sa fille n'avait pas idée de ce que les hommes prenaient et jetaient, ni de la façon dont ils se débrouillaient pour ce faire. Sans réfléchir, Holland avait embauché un gars de la ville pour qu'il l'aide à déraciner certains arbres, un homme marié et heureux de l'être, censé être sérieux — jusqu'à ce que Holland le surprenne, appuyé sur sa pelle, en train de regarder Ellen sans rien faire d'autre. Plus tard, il le vit lui offrir une cigarette. Holland eut le sentiment d'avoir été personnellement violé. Elle avait toujours été auprès de lui, elle avait grandi à ses côtés — extension de lui-même.

Voitures et camions ralentissaient en approchant du portail ; on ne sait jamais ce que la fortune vous réserve. Les soupirants venaient de partout. Si l'un d'entre eux frappait à la porte d'entrée en demandant après sa fille, Holland faisait montre d'une politesse de circonstance. L'un d'entre eux arriva à cheval, au galop sans les mains : Holland, notant le sourire intrigué d'Ellen, fit remarquer que cet idiot avait bu.

En hiver, elle aimait passer des matinées entières dans la tour où il faisait chaud et où elle nourrissait les oiseaux. De là, on pouvait contempler l'ampleur de l'œuvre de son père ; pourtant, quand elle ôtait ses vêtements et qu'elle se sentait l'âme d'une orchidée ouvrant les pétales de son corps sous l'effet de la chaleur enveloppante, elle se rendait compte que sa nudité narguait le placement laborieux des différentes espèces d'arbres un peu partout. À d'autres moments, elle s'asseyait dans sa chambre bleue et brossait ses beaux cheveux, rappelant ainsi sa mère à Holland. Elle confectionnait ses propres vêtements. Elle cousait, rangeait un peu partout et on l'entendait fredonner dans la cuisine. Les mêmes petits livres étaient lus et relus. Malgré sa beauté, elle faisait du bruit en mangeant.

En une gentille réplique de l'époque où Holland était

arrivé dans la région, ils reçurent des invitations en provenance des mêmes grandes maisons et, dans ces maisons, les tables, les murs, les pendules anglaises et leurs carillons, le motif des assiettes, le morceau de mouton et les pommes de terre bouillies n'avaient pas changé. Les hésitantes jeunes femmes en tenues fleuries présentaient des silhouettes plus larges, plus flasques, c'étaient à présent des mères de famille animées de préoccupations radicalement différentes. Et l'attention, cette fois, ne se concentrait pas vraiment sur Holland, mais sur sa fille, assise, très droite, à côté (par exemple) d'un fils d'une belle carrure qui s'éclaircissait la gorge dans sa chemise neuve. Quant à Ellen, elle affichait une expression distante, comme si elle obéissait à son père.

Après quoi, le maître de la maison, connaissant les intérêts de Holland, lançait parfois les clés de la voiture à son fils pour que celui-ci emmène tout le monde faire le tour de la propriété pendant que Holland, assis à l'arrière, identifiait chaque eucalyptus à la lueur des phares.

« C'est une perle, cette petite que vous avez là », concédait l'éleveur de moutons en parlant de la fille de Holland.

Tout fort ou sans tapage ou par l'intermédiaire d'un ou de plusieurs émissaires, on faisait remarquer qu'un mariage produirait de formidables synergies agricoles, qui amènerait à coup sûr un sourire sur le visage de tous les gens présents à la table. Holland donnait l'impression de soupeser toutes les propositions. Auprès de ces hommes, il paraissait pensif et émettait de petits bruits de succion avec ses dents tout en hochant la tête et en offrant une autre cigarette, à la façon dont ils auraient eux-mêmes géré la situation, visuellement.

Une certaine fébrilité se mit à teinter la beauté d'Ellen.

Les femmes de la ville et les femmes des fermes voisines observaient la situation et attendaient. Une des choses que Holland avait apprises au cours des nombreuses années qu'il avait passées à observer les arbres était *pas de précipitation, la nature a son rythme.* Quant à Ellen, elle semblait plus à l'aise auprès des visages négligés des saisonniers, des garagistes crasseux et des buveurs de l'après-midi ; avec eux, au moins, elle suivait les choses, perplexe.

Holland dit à sa fille :

« Je veux que tu me promettes une chose : n'approche pas les voyageurs de commerce. Tu les as vus en ville avec leur belle cravate et leurs briquets luxueux. Il y en a qui sont venus jusque chez nous, tu le sais très bien, parce qu'ils croyaient qu'on allait leur acheter des rubans et des pièces de tissu. Ils trimballent des articles de bijouterie et des médicaments dans des valises spéciales. Le petit gars qui est venu ici — le moustachu —, il vend de la brillantine, des savons et je-ne-sais-quoi. Je me suis laissé dire que ce qu'ils font maintenant, c'est qu'ils te distribuent un catalogue imprimé dans lequel tu repères un truc qui te plaît et, après, on te le livre. Moi, je dis que c'est très astucieux. »

Ces hommes-là étaient des vieux de la vieille qui avaient édifié leurs carrières pleines de poussière à force de s'entendre causer. Ils travaillaient à la commission. Ils savaient quand avancer, quand reculer. Holland avait vu comment les robustes femmes de la ville tournaient jolies et gamines sous l'effet de leurs paroles. Les histoires qu'ils débitaient ! En guise d'exemple, Holland signala les rideaux colorés qu'il avait achetés à l'un de ces beaux parleurs patentés et qui avaient passé au bout d'un été. Pourtant, ces roués avaient une générosité naturelle. Plus tard, ce même colporteur de rideaux douteux, spécialiste de calembours et de blagues cochonnes, s'était proposé pour aller récupérer dans une ville éloignée un rare échantillon de princesse argent, porteur du nom vaguement musical d'*E. symphyomyrtus* que Holland réussit ensuite, après bien des difficultés, à faire pousser dans un petit ravin.

« Méfie-toi, conseilla Holland à sa fille, méfie-toi des hommes qui te raconteront délibérément une histoire. Tu vas rencontrer des hommes comme ça. Tu vois ce que je veux dire ? »

Il avait envie de lui serrer les mains à lui faire mal.

« Je veux que tu m'écoutes. Il n'y a pas vraiment de raison pour que tu ailles en ville. Mais, laissons ça de côté : ça vaut la peine de se demander, quand un homme commence à concocter une histoire devant toi, pourquoi il te la raconte. Qu'est-ce qu'il te veut ? »

C'était une erreur bien entendu de croire que la fille de Holland ressemblait à une princesse enfermée dans la tour d'un château humide. Après tout, elle vivait dans une propriété à l'ouest de la Nouvelle-Galles du Sud. Il y avait là beaucoup d'espace. Pourtant, on avait vraiment l'impression qu'elle avait été soustraite aux regards — à moins qu'elle n'eût elle-même décidé de se mettre en retrait. Même si tout cela était en partie vrai — les imaginations s'étaient emballées — la seule idée d'une beauté prisonnière trouve un écho plus vif que la simple beauté. Cela ne pouvait qu'ajouter à son attrait ; et, cela, Holland ne le voyait pas.

Des arboriculteurs amateurs, des politiciens, des spécialistes de l'érosion des sols, des délégations de fermiers et même le touriste occasionnel qui, autrefois, étaient toujours les bienvenus, se voyaient à présent découragés. Holland ne savait plus si leur intérêt s'adressait à ses arbres ou à sa fille. Un voisin sympathique et son fils qui se manifestaient à l'improviste, comme ça se fait dans les campagnes, étaient reçus poliment ; c'était à peu près tout. Si le fils dégingandé avait de la chance, il entrevoyait le visage d'Ellen derrière une fenêtre, comme sous l'eau.

Parfois, on apercevait Ellen de l'autre côté de la rivière, entre les arbres, découpée à la verticale : c'est-à-dire selon des fragments de tissu coloré. Quand elle sortait enfin avec ses souliers délicats et qu'elle apparaissait dans la grand-rue, sa beauté faisait sursauter — chair mouchetée tout en courbes.

Holland avait conscience que les gens attendaient qu'il se décide. Tous les jours, il ouvrait les yeux sur un matin rayonnant, avec la certitude que, dehors, ses arbres se déployaient dans leur variété remarquable, et découvrait alors que le problème de sa fille était toujours là devant lui, dans toute son imprécision. Il se voyait contraint de réfléchir à quelque chose auquel il n'avait pas envie de réfléchir ; il avait envie de se remettre à réfléchir aux questions habituelles. Le sujet, ou plutôt la situation, refusait de s'effacer.

La femme du boucher ne l'aidait pas beaucoup. Ce devint embarrassant de prendre une tasse de thé avec elle, en compagnie désormais de son amie et voisine, la receveuse des postes, qui dodelinait de la tête en cadence.

« Laissez la pauvre petite décider elle-même. Quel âge a-t-elle ? Elle en connaît plus que vous sur ces questions. Que savez-vous ? Quelques faits et chiffres sur des gommiers. Et à quoi est-ce qu'ils vous servent tous ces arbres maintenant, dites-moi donc ? Pour Ellen, il faudra juste que vous fermiez les yeux, en espérant que tout se passera pour le mieux. »

Le temps et le paysage étaient perpétuellement poreux ; et il ne pouvait pas imposer longtemps à sa fille un rayon d'action limité à un terrain vallonné, pas vraiment.

Holland décida d'emmener Ellen à Sydney ; elle avait dix-neuf ans.

Dans la grande ville, il s'imaginait qu'elle se fondrait dans les mouvements d'entrecroisement, dans la cohue dense.

En fait, tout chez elle se remarqua encore plus à Sydney, sa beauté offrant un contraste d'autant plus marqué à côté de la banalité tout à fait naturelle de la majeure partie de la foule. En outre, il se rendit vite compte qu'il y avait une concentration d'hommes plus grande encore ; tant d'hommes formidables qui savaient s'y prendre ; il ne cessait de noter que tel homme ou tels groupes d'hommes de la ville laissaient leurs regards courir sur sa fille, laquelle ne semblait absolument pas s'en apercevoir.

Ils s'installèrent à Bondi. Ellen comptait aller tous les jours à la plage. Elle avait envie d'être seule. À la surprise de son père, elle évoluait avec aisance dans d'autres quartiers de la ville, comme si, pour elle, les distances oniriques qui existaient entre les choses de leur propriété ne signifiaient rien. Elle le poussa à lui acheter une paire de lunettes de soleil fantaisie. Il avait toujours acheté tous les vêtements d'Ellen, y compris sa lingerie. Pour lui, il y avait toujours quelque chose qu'elle aurait dû porter. Quand elle sortait en courant le matin et qu'elle revenait le soir, elle paraissait, aux yeux de son père, grande et rayonnante.

Même s'il parlait peu, il était irritable. Quand il était assis à la réception ou, dehors, dans l'allée, il estimait qu'il avait un nez trop gros. Il n'y avait pas grand-chose à faire. Il ne cessait de regarder ses mains. Âge d'or que cette époque où les hommes se tachaient les doigts, de manière tribale, avec de la nicotine. Ce que ces mains cuivrées avaient produit — des eucalyptus, une diversité édifiante — semblait n'avoir aucune utilité à Sydney. Et ainsi se tracassaitil sans relâche ; en attendant sa fille. Il se trouva que ce fut leur dernier voyage ensemble.

Il avait toujours eu un mauvais sommeil. Elle se souvenait qu'il lui avait parlé, dans son enfance, de méthodes spéciales pour arriver à dormir, de méthodes qui reposaient entièrement sur une uniformité visuelle engourdissante, qu'il exagérait pendant qu'il se rasait, afin de la faire rire. À présent, la lumière filtrait sous sa porte et elle entendait son père aller et venir dans un crissement de plancher à n'importe quelle heure.

Il finit par émerger de son bureau et entra dans sa chambre.

Ils discutèrent un moment ; Ellen pleura.

Ce même jour, la décision de Holland se propagea. Elle était assez simple. L'homme qui identifierait correctement tous les eucalyptus de la propriété gagnerait la main de sa fille, Ellen.

Au début, il y eut une sorte de silence laiteux ; les gens n'en croyaient pas leurs oreilles. Lorsque la nouvelle fut rendue publique sous forme d'article dans les journaux, de jeunes candidats et d'autres, pas si jeunes, avaient déjà commencé à se préparer.

5

Marginata

Quelques mots sur la ville ; nous ferons bref, en hommage à la grand-rue.

Elle était petite et jaunâtre. N'importe où ailleurs, on

l'aurait qualifiée de « village ». Ou même de hameau : il n'y avait pas d'église.

Sinon, c'était une ville qui n'avait *qu'un seul truc de chaque chose* : un hôtel, une banque, une poste, un cinéma, quelques magasins avec, en vitrine, des seaux, des coupes de tissu, des produits agricoles et des stores en toile qui descendaient jusqu'aux caniveaux l'été. Elle abritait une blonde, un manchot (El-Alamein), un voleur, une femme qui aurait pu être une sorcière. Il y avait une personne qui voulait être aimée par tout le monde, une qui avait toujours le dernier mot, une qui se sentait piégée par le mariage.

Tibooburra, plus à l'ouest, est connue pour son amoncellement de blocs de pierre brûlants de chaleur au bout de sa seule et unique rue principale. D'autres villes atteignent la notoriété grâce à des monuments incontournables, tels que des béliers mérinos ou des ananas d'une taille quarante fois supérieure à la normale, ou à la fanfaronnade écrite à la main quelque part dans les faubourgs annonçant que la ville en question a enregistré la température la plus haute d'Australie, ou qu'elle est la plus soignée de l'État — donc, à éviter ; Mossman, dans le nord du Queensland, possède un train en sucre qui, en général, siffle et pisse, dans sa grand-rue. Celle-ci — la ville jaunâtre — présente un coude qui déforme la rue de manière très inattendue et néanmoins en harmonie avec les vérandas déployées de sorte qu'il prête à la ville par ailleurs banale l'air de s'être reproduite en masse.

La plupart des soupirants d'Ellen vivaient sur place ou dans la campagne proche, et l'endroit devint donc un relais pour la seconde vague de prétendants, optimistes froidement résolus arrivant d'ailleurs, de cités lointaines par exemple, à la façon dont Zanzibar, au siècle dernier, avait servi de base aux explorateurs britanniques résolus et trempés de sueur qui se dirigeaient vers l'intérieur des terres.

La ville filtrait les soupirants. Certains n'allaient pas plus loin que l'hôtel. Des hommes arrivaient là par curiosité sexuelle, pillards d'une nuit qui tentaient leur chance : après tout, ils étaient capables de reconnaître du premier coup d'œil un gommier bleu, un faux buis jaune et même le *calycogona* rabougri et de citer son surnom ridicule, mallee à groseilles à maquereau. Mais ils éprouvaient un choc dès qu'ils se retrouvaient véritablement confrontés à la réalité stupéfiante d'une telle multitude d'eucalyptus réunis en un seul endroit, à un si grand nombre d'espèces inconnues et aux échecs que leur relataient ceux qui les avaient précédés, dont des bûcherons très qualifiés et le maître d'école local découragé.

Au bout d'un moment, ces hommes repartaient sans même avoir vu le prix moucheté. Un gars en costume de laine descendit du train de Yass, se rendit jusqu'à la grille de la propriété de Holland, en flattant tous les chiens sur son chemin, jeta un coup d'œil sur la masse d'arbres, tourna les talons et rentra tout droit chez lui. Les plus calculateurs, n'ayant pas sous-estimé le test, se mirent à bûcher ce vaste sujet, le nez dans des livres de botanique peu adaptés.

Prenez le jarrah (*E. marginata*). Existe-t-il quelqu'un qui ne soit pas *déconcerté* par le jarrah — sa dureté, son niveau de difficulté ? Il y a de la désobéissance civique dans sa nature. Cela dit, il faut reconnaître que les difficultés matérielles peuvent accentuer la beauté de l'essence. On a toujours envie d'attraper un bout de jarrah et de l'admirer — de le caresser comme un chat. Peut-on dire qu'un bout de bois est « fier » ? Tout le contraire de ceux qui se fendent au moindre coup, comme le pin fluet et frissonnant ou l'acacia sans piquant ? Le jarrah était très réputé pour sa résistance sous terre et dans l'eau. Il avait pavé des rues de Sydney la méditerranéenne et de Melbourne la merveilleuse — cette essence survivant de beaucoup aux hommes qui la détaillent —, sans parler des fidèles planchers des salles de bal et des grands hôtels.

Bel arbre, droit et grand, il refuse de pousser dans une plantation. (Par esprit de contradiction, une fois encore.) Holland avait eu jadis un beau-père du nom de Jarraby, connu pour son orgueil, sa tête dure.

Sortis de l'Australie-Occidentale, peu de gens reconnaîtraient un jarrah, même s'ils en percutaient un.

Bref, il s'était trouvé, au début, que le maître d'école de la ville avait été le favori dans la course à la main d'Ellen parce qu'il avait le double mérite d'avoir fait des études et d'éprouver une réelle affinité pour le bois ; c'était devenu son passe-temps solitaire que de sculpter de lourds récipients destinés à recevoir des fruits délicats comme des pêches ou du raisin. Et en effet, le premier jour à l'heure du déjeuner, il avait correctement identifié quatre-vingt-sept eucalyptus et s'en tirait plutôt bien quand il fut victime d'un trou de mémoire devant le très beau jarrah à côté de la clôture derrière la maison.

« Prenez votre temps », déclara Holland qui s'éclaircit la gorge.

Il avait envie d'ajouter : « Pas besoin de vous énerver comme un rat à l'assaut d'un égout. »

Il aimait bien le jeune maître d'école. Et ce n'était pas la peine de se bousculer. Partout, l'affolement est toujours fatal. Des densités de Sydney, le jeune enseignant avait été transféré à la campagne, difficile leçon de monotonie. À plusieurs reprises, il avait vu Ellen dans la grand-rue. Tard l'après-midi et le dimanche, il empruntait le chemin de terre et passait devant le gommier saumon en espérant voir surgir la jeune femme. Quant à la propriété elle-même, toutes ces vastes acres en bordure de rivière, cette grande vieille ferme, c'est tout juste si le maître d'école la prenait en compte.

Il était sur le point de dire « Jarrah ! » quand un de ses yeux s'empêtra dans le feuillage du Karri (*E. diversicolor*) tout près.

« C'est vraiment bête ! s'exclama Holland en écrasant sa cigarette. Quel dommage ! Pour moi, vous aviez une vraie chance. »

Avant de se mettre en train, chaque soupirant était invité à entrer dans la maison — au salon, pas moins — pour prendre une tasse de thé. Holland pouvait ainsi se carrer dans son siège et les étudier. Le test, au vrai sens du terme, commençait dès cet instant-là. Approchait alors pour les servir le prix en personne, plus mouchetée et assurément plus belle qu'ils n'en gardaient le souvenir ou qu'ils ne l'avaient imaginée, leur laissant entrevoir un décolleté et l'ombre de ce qui ressemblait à une vague consternation.

Du jour où son père avait pris sa décision sur la question du mariage, elle n'avait pratiquement plus su que dire, à lui ou à quiconque. Elle n'avait sous la main ni vieille grand-mère, ni mère avisée ni sœurs curieuses pour l'aider. Il lui importait peu que le test sur les eucalyptus départage les concurrents, qu'il sépare le bon grain de l'ivraie et de tout ce qu'on veut, processus à la fois sain et malsain, comme le formulait son père. « Seul un homme exceptionnel, un jeune homme tout à fait hors du commun identifiera tous ces arbres — quelqu'un comme ton vieux papa », lui avait-il assuré.

Les premiers soupirants étaient tous des garçons du coin. Devant certains, elle n'avait pu s'empêcher d'éclater de rire jusqu'au moment où son père s'était écrié : « Ça suffit maintenant ! »

Il y eut un tondeur de moutons en retraite qui avait l'âge d'être son grand-père — pas de dents. Le seul et unique plombier à mi-temps de la ville déploya ses jambes sur le canapé à fleurs et réclama une seconde tasse de thé en une démonstration de relaxation extrêmement brillante, mais, à peine passée la porte d'entrée, se retrouva dans l'incapacité d'identifier le tout premier arbre qu'il désigna du doigt, l'eucalyptus à feuilles de saule, qui est banal comme tout. Même Holland y alla d'un petit rire. De nombreux candidats qui atteignaient les quatre-vingts ou plus sans une hésitation se voyaient éliminés par un de ces vulgaires gommiers qui bordent les routes ; manque de concentration, d'après Holland. Parmi ceux qui connaissaient le bois, mais pas les arbres, il y avait le jeune Kevin qui avait perdu son bras à la scierie. Étonnant, le nombre de gars qui n'arrivaient pas à repérer l'écorce de fer, unique intrus au milieu du brise-vent.

Inutile de préciser qu'il y eut des hommes pour essayer de bluffer, de contourner les difficultés en blaguant ou d'élaborer des tactiques afin de gagner du temps. Ces ruses, qui dénoncent parfois un aspect de la personnalité, les avaient servis dans le passé. Le perdant chagriné se fâchait quand il avait perdu ! D'autres proposaient de l'argent. Pourquoi pas ? C'était le monde dans sa totalité qui s'exposait, en miniature. Un ou deux tentèrent d'entrer par la porte de service, pour ainsi dire : « Il n'y a pas un autre moyen d'arranger cela ? Est-ce qu'on ne peut pas s'asseoir pour en discuter ? Mes connaissances sur les gommiers tiendraient sur une tête d'épingle, mais je sais que je ferais un bon mari pour votre fille. » Le directeur de la banque envoya son fils myope. Un étranger noiraud qui venait d'une autre ville clama avoir une mémoire photographique : subséquemment, le premier eucalyptus qu'il n'avait pas vu eut raison de lui. En général, le silence était ancré ; seuls quelques-uns jouaient les moulins à paroles. De temps à autre, Ellen, dans sa chambre, entendait une voix forte monter d'un terrain en pente. Des artistes d'un cirque de passage avaient eu vent de l'histoire de la très belle fille et discutèrent trop longtemps de la possibilité de la tirer au sort. L'un des dangereux voyageurs de commerce les plus chics avança son nom ; Holland descendit en ville et le dissuada.

Bien évidemment, l'idée même d'une épreuve pour gagner la fille d'un homme s'avérait soit éprouvante soit bien trop inédite : le bruit courut que certains soupirants avaient bu sept grands bocks de bière une heure avant. Un jockey de la campagne se présenta en compagnie de son palefrenier qui signala à Ellen que ledit jockey était déjà marié.

« Il faudrait que je jette un coup d'œil sur une feuille, déclara un autre. Pour ça, j'aurais besoin d'une échelle. »

À la vue de ces hommes qui s'étaient faits beaux pour l'occasion, avec leur chemise neuve et leurs cheveux fraîchement coupés, Ellen se sentait vaguement glisser vers la tristesse, volettement d'un oiseau blanc en cage ; d'autres vinrent comme ils étaient ; certains empestaient. Une procession ; toutes les tailles étaient représentées.

Il n'y en avait pas un dont le physique plût vraiment à Ellen.

C'étaient là des hommes désireux de contourner les mots, les murmures et les hésitations traditionnels, les cajoleries, les blagues pleines d'espoir, les frôlements d'épaule maladroits, l'empressement incroyable qui va saper l'énergie d'un homme et la distraction délibérée aussi, tout ce qui forme une mosaïque de *lenteur nécessaire*... Tout ce qui permet à la femme de choisir l'homme, tout en donnant à l'homme l'illusion que c'est lui qui l'a prise. Alors que — en dehors de la ville jaunâtre — ces soupirants, qui étaient venus faire la queue pour passer l'épreuve, pouvaient, en un sens, parvenir au même résultat, le dos tourné, en récitant ce qu'ils savaient. Il n'était même pas nécessaire de regarder dans la direction d'Ellen (le maître d'école avait constitué l'exception — ce qui l'avait perdu).

« Ah, pour ça oui, ces gars de la campagne, se plaignait Holland, ils donnent l'impression de connaître la terre comme leur poche, mais posez-leur une question et ils ne seront pas fichus de vous dire le nom des choses toutes simples qui leur crèvent les yeux. Si ça se trouve, il s'agit d'un eucalyptus qui pousse comme du chiendent. »

Ellen commença à penser que le niveau de difficulté était tel qu'il n'y avait sur terre que quelques hommes capables de reconnaître tous les eucalyptus ; à part son père, bien sûr, dans sa veste sombre. Cette affaire pouvait se prolonger durant des années sans qu'on arrive à rien. Et elle se détendit, prématurément.

Le problème était que le niveau de difficulté faisait intervenir une des lois de la curiosité : comme tous les hommes qui se présentaient échouaient et que le flux des soupirants se réduisait à un filet, l'inaccessibilité du prix accroissait encore plus l'attrait d'Ellen.

Holland et sa fille ne paraissaient pas s'en rendre compte. Étant donné que la question matrimoniale était plus ou moins réglée, ils se remirent à descendre en ville où on regarda aussitôt Ellen pour discuter d'elle sur la base de nouveaux calculs.

C'était l'été. Le tronc des arbres était chaud. Dans la rivière, des pierres lisses gisaient sous l'eau pareilles à des poires en suspension dans le sirop ; quant à Ellen, elle s'asseyait sur le pont, jambes ballantes, et examinait ses bras ou lançait des coups de pied et se laissait flotter au gré du courant.

C'est alors qu'un Néo-Zélandais fendit l'air pour remonter l'allée et se présenter. Il avait une moustache très noire. Et ses cheveux aussi étaient noirs comme la ville de Dunedin. Il se caressait la moustache à chaque eucalyptus et agaça Holland en riant tout seul alors qu'il était en train de chercher le nom d'une espèce parmi les moins connues.

« Nom de Dieu, pourtant, il connaît ses eucalyptus, déclara Holland avec respect. Et il ne vit même pas ici. C'est un drôle de type. Je l'ai surpris hier en train de prier à côté de la grille, juste avant de commencer. »

Au troisième jour, le Néo-Zélandais avait réussi la moitié de l'épreuve.

Cela suffit pour que Holland se mette à mâchonner son toast d'un air pensif alors que Ellen, qui essayait d'imaginer à quoi pourrait bien ressembler le quotidien avec un homme pareil, avait du mal à avaler. Et elle se sentait bizarre à l'idée que des gens d'un autre pays avaient eu vent de l'épreuve qui la concernait. Quant à son père, il ne pouvait s'empêcher de hocher la tête devant le fait qu'un Néo-Zélandais, un *Kiwi* de l'île du Sud, avait pu devenir un expert en eucalyptus ; un vrai mystère pour lui. Les eucalyptus étaient originaires d'Australie et de nulle part ailleurs. À son avis, il aurait été étonnant qu'on eût transplanté plus de cinquante espèces d'eucalyptus sur la totalité du territoire de Nouvelle-Zélande. Au matin du quatrième jour, Holland s'apprêtait à poser quelques questions quand le bonhomme tomba sur un bec et se vit défait par l'un des nombreux écorces ficelles, un *E. youmanii* d'apparence maigrichonne qui aurait facilement pu confondre un botaniste professionnel ; il s'en alla avec un hochement de tête soulagé et regarda le visage d'Ellen pour la première fois.

L'histoire de Holland et de sa très belle fille avait traversé la mer de Tasman ; elle était également remontée vers le centre de l'Australie par le Stuart Highway, en faisant le plein d'essence en chemin. Elle se répandit à droite et à gauche de l'autoroute, pareille au tronc et aux branches d'un arbre. En conséquence, un *Chinois souriant* qui venait de Darwin frappa à leur porte. Devant Holland, il s'inclina légèrement et déclara qu'il vendait des fruits et légumes.

Tout ce qu'il touchait le rendait heureux. Il avait ce qu'on appelle des « yeux d'une douceur de miel ». Quand Ellen lui servit son thé, il sourit : « Jolie main vous avez. » Ellen décréta qu'il vivrait très longtemps. (Une vague impression plutôt qu'un fait physiologique : un cerveau actif peut inciter le corps à avancer de quelques mètres supplémentaires. Longue est la vie du philosophe.)

En même temps, Ellen se demandait si cet homme heureux avait connu l'envie ou la jalousie, les désordres de la solitude — les complications habituelles —, sans parler de quoi que ce soit de plus sérieux, comme de brusques accès de désespoir.

Il était là à présent, sous les dehors d'une bonne humeur orientale, en train de passer au crible sa taxinomie botanique afin de l'appliquer à l'apparence générale d'un arbre donné. Bien entendu, il était plus fort sur les espèces subtropicales de la région de Darwin. Plus prudent que le Kiwi, il se reculait de temps à autre pour émettre un « Ahhhh... » devant un spécimen particulièrement gracieux, tel que le gommier pied-dans-l'eau qui formait un triangle fortuit avec le foret argent et le mallee rouge (*E. socialis*) au tronc double ; s'il se mouchait constamment dans un mouchoir rouge pour que cela lui porte chance, il n'hésitait guère, mais souriait un peu plus longtemps devant les feuillages difficiles-à-reconnaître.

Neuf jours plus tard, il souriait toujours. Et, devant sa bouche, Holland commença à repenser à son propre père.

« Qui voudrait un bonhomme qui sourit comme ça toute la sainte journée dans la maison ? lança-t-il à Ellen. Ne t'inquiète pas, il va se ramasser un bon gadin, je le sens. Je ne sais pas comment il a réussi à aller aussi loin. Quel âge lui donnerais-tu ? Pour moi, ce gars est une énigme. »

Il fallut finalement un eucalyptus de la pointe sud de la Tasmanie qui n'a pas du tout l'air d'un eucalyptus.

Le Chinois trébucha bel et bien dessus.

Le gommier à feuilles vernissées (*E. vernicosa*) est plus proche de l'arbuste ou de la plante grimpante. Il arrive à peine aux genoux d'un homme. Bourgeons et fruits vont par trois ; feuilles vernissées.

Les soupirants en vinrent à se limiter aux candidats possédant une connaissance professionnelle du sujet. La perspective de gagner la main d'une fille en identifiant tous les arbres du père et les chances que quiconque puisse y parvenir alimentaient les discussions dans les salles de professeurs, partout dans le pays. Quand une année se fut écoulée, puis presque une autre, sans qu'on eût encore de gagnant, ce fut la difficulté de l'épreuve elle-même plutôt que le prix qui eut alors tendance à devenir l'attraction. Les spécialistes en botanique et en sylviculture ressemblaient à ces grands champions des jeux olympiques qui réservent leurs forces et exercent une pression psychologique sur leurs rivaux du fait qu'ils attendent que la barre ait été élevée à une hauteur extrême pour prendre la peine de concourir.

Ellen regardait son père les accueillir dans sa veste râpée. Outre les adorateurs d'arbres et l'expert en régénération d'arbres de Brisbane, il y avait les spécialistes du niveau hydrostatique, les fanatiques de l'arbre national, les amateurs de brevets sur des huiles essentielles d'eucalyptus et une autorité mondiale sur les écorces qui avait déjà visité la propriété, avant, à la tête d'une délégation.

« Il n'y en a pas un dont tu voudrais, reconnut son père. Tous les experts que je connais ont la tête dans le sable, d'une façon ou d'une autre. I's se sont collés dans une impasse à force de travailler. Et regarde-toi ! Tu es une princesse, trop bien pour la plupart des hommes, au moins ceux que j'ai rencontrés. Il doit bien y en avoir un quelque part qui fera l'affaire. Personne n'est parfait, je le sais. Mais on dirait que ça ne t'intéresse plus. Qu'en penses-tu ? Cette histoire prend beaucoup plus de temps que je pensais. Y a-t-il quelqu'un qui ait attiré ton attention, ne serait-ce qu'une fraction de seconde ? À ce que je vois, je vais m'en aller dans la tombe sans être plus avancé pour autant. »

Ellen était devenue agréablement distante. Son bras se glaçait peu à peu.

Franchement, quel homme pouvait reconnaître tous ces arbres ? Son père, bien sûr ; mais, lui, il était différent ; rien que tous ces noms en anglais et en latin auraient occupé l'espace vital d'une personne, espace qui pouvait être utilisé pour d'autres choses, plus naturelles, à la manière dont un infortuné marchand en matériel agricole laisse s'accumuler devant sa maison en planches, sur les côtés et dans la cour, tout l'outillage rouillé qu'il a repris.

« Notre homme viendra d'une grande ville, prédit son père. C'est mon intuition. »

Ellen, qui écoutait son père et rêvassait à moitié, n'arrivait pas à imaginer une personne aussi calée, et encore moins à dire si cet homme aurait quoi que ce soit d'intéressant pour elle. Et, isolée dans la ferme en pierres bleues, entourée par les arbres en question, elle avait de toute façon le sentiment que la réponse était vraiment bien éloignée. La solution au problème était toujours remise à la fois d'après. Ce genre de chose encourageait le fatalisme, la désinvolture.

Holland reçut une lettre.

« Bonjour, à ce que je lis ici, M. Roy Cave se porte candidat. Il a demandé à son secrétaire de taper cette lettre. J'ai entendu parler de lui. Il a une solide réputation dans le monde des eucalyptus. Il est d'Adelaïde, expliqua-t-il à Ellen. Les gens plaisantaient en disant qu'il avait lui-même passé en revue tous les eucalyptus de l'État d'Australie-Méridionale. Adelaïde, la ville des eucalyptus. À ce qu'on dit. Il a grandi avec les gommiers. Tu écoutes ? Il dit ici qu'il va prendre ses congés annuels. Est-ce que ça vous irait, *et cetera* ? Il a réservé une chambre au pub. Il est sérieux ! Il va nous casser les pieds pendant des semaines. »

Le père s'approcha de la fenêtre et, les mains nouées dans le dos, prit une pose de père en train de regarder sa propriété aux allures de parc, laquelle représentait l'avenir de sa fille. Elle comprenait des courbes délicates, des herbes marron pâle, un cours d'eau et de la chaleur.

« Tu commences à en avoir marre de ce défilé ? s'écria-t-il en se retournant brusquement. Dieu sait ce qui va se passer. Pour ta mère et moi, c'est l'imprévu qui a pris totalement le dessus. C'était une affaire bizarre à l'époque, tout était très bizarre. On s'en est bien tiré ; je suis encore là ; et avec toi. »

6

Maculata

La beauté de cet arbre... tient à son écorce lisse et apparemment propre. Elle se desquame en écailles irrégulières qui laissent de petites fossettes — d'où le nom de gommier moucheté — et, à mesure que la surface de l'écorce prend de l'âge, elle change de couleur et passe du crème au gris bleu, au rose ou au rouge, ce qui lui donne un aspect tacheté. Le fût est généralement droit et harmonieusement ramifié.

Les fleurs se distribuent en inflorescences complexes plutôt larges tandis que les fruits sont de forme ovoïde, avec un collet très court et des valves profondément enfermées.

Et cetera, et cetera.

Les feuilles juvéniles peuvent mesurer une trentaine de centimètres avec un pétiole entrant au-dessus de la base. Les feuilles adultes sont lancéolées, falciformes, d'un vert presque uniforme sur les deux faces.

Dans la conversation, M. Cave utilisait des termes tels que « pétiole », « inflorescence », « falciforme » et « lancéolé » avec une délectation à s'en faire claquer les lèvres et il était également à l'aise avec « sessile », « fusiforme » et « concolore ». Holland, qui ne s'était jamais soucié de ces précisions techniques, se demandait parfois de quoi M. Cave pouvait bien parler.

Les gommiers mouchetés apparaissent principalement sur des terrains plutôt lourds, surtout des terreaux glaiseux provenant de schistes argileux où l'espèce est souvent associée avec des gommiers gris (*E. moluccana*) et des écorces de fer.

L'espèce fut décrite pour la première fois en 1844 par J.D. Hooker, le botaniste de l'*Erebus,* un navire consacré aux explorations. Ses premiers écrits portaient sur la flore de Tasmanie. Hooker, grand érudit victorien, doté d'un formidable appétit de classification et de vérification — ami et défenseur de Darwin. Il y avait tant à faire, tant à consigner. C'est à peine s'il parvint à rester tranquille pour la photographie en studio : favoris en côtelette, main de l'épouse épuisée posée sur son épaule. Il avait peur de mourir trop tôt. Pour Hooker, la taxinomie se situait au cœur de la compréhension du monde ; du moins offrait-elle cette illusion. Il mourut à l'âge de quatre-vingt-quatorze ans. Autre exemple — totalement pris au hasard — d'un esprit hyperactif entraînant le corps à sa remorque ? Où trouva-t-il le temps, comme on dit ? *La Flore des Indes britanniques* compte à elle seule sept volumes.

Il succéda à son père comme directeur du jardin botanique royal de Kew Gardens, à Londres. Et, comme son père avant lui, son nom se vit octroyer un préfixe descriptif dénotant l'appartenance à une classe supérieure : Joseph Dalton Hooker fut fait *sir* ; pour services rendus aux arbres.

M. Cave avait visité Kew quelque temps avant d'arriver chez Holland. Il va sans dire qu'il était allé tout droit vers les eucalyptus en ignorant les arbres, les arbustes et les fougères représentatifs de chacun des pays de la planète (« En Lituanie, les chênes sont considérés comme sacrés »), à la façon dont un homme dans un grand musée passe à toute vitesse devant les alignements de chefs-d'œuvre qui quémandent patiemment l'attention rien que pour contempler telle huile particulière dans un obscur recoin — vision limitée des choses quasiment impossible à mettre en pratique dans un zoo.

M. Cave avait présumé, comme toute personne dans son bon sens, qu'il y aurait, parmi les eucalyptus de Kew, un gommier moucheté en hommage à l'homme qui, le premier, les avait décrits. Il avait également présumé qu'il occuperait une position éminente. Mais non : sur les deux eucalyptus, *les deux seuls,* qu'il réussit à trouver après force indications, le premier était un gommier des neiges (*E. pauciflora*), batailleur et frisant le découragement, et l'autre, devant les toilettes pour dames à persiennes, un gommier à cidre (*E. gunnii*). Il est vrai que c'est aussi Joseph Hooker qui décrivit, le premier, *E. gunnii* ; mais le gommier moucheté est plus beau que le gommier à cidre. Les connaisseurs affirment que c'est l'eucalyptus visuellement le plus accrocheur qui soit.

M. Cave consulta la plaque pour s'assurer de son identité et, bien qu'il n'eût pas envie d'être surpris en train de rôder autour des toilettes, se mit à faire les cent pas devant l'arbre.

L'eucalyptus n'avait pas l'air à sa place, il donnait l'impression d'être là pour la forme, ignoré. Une fente aux allures de vagin s'était ouverte dans la partie inférieure de son tronc, comme en signe de protestation patriotique contre son déplacement et son isolement. Des femmes ne cessaient d'aller et venir. Certaines étaient jolies, avec des enfants. Incapable de s'en aller, M. Cave continua à faire les cent pas devant le gommier.

À ce stade de l'histoire, il s'assit sur un banc et se mit à se tourner les pouces. Il ne savait pas quoi faire d'autre en Angleterre. À le voir, n'importe qui l'aurait cru désabusé.

La confusion n'était pas un sentiment dont il était coutumier ; confusément pourtant, il remarqua une femme à côté de l'arbre. Depuis un moment, elle jetait de bizarres coups d'œil de droite et de gauche. Elle était un peu grassouillette et portait un foulard sur la tête. Sur ce, elle abandonna son enfant dans son landau, revint rapidement sur ses pas et glissa, toujours dans le même mouvement, une enveloppe dans la fente de l'arbre.

Du moins est-ce ce qu'il crut voir. Sur le banc, il s'était fait la réflexion que sa vie se mesurait aux carillons des arbres, or, certains étaient penchés, et quelques-uns rabougris. Les intervalles suivaient un rythme, presque musical. Son histoire fourmillait d'arbres. À présent, il fixait l'unique spécimen d'*E. gunnii* qui, de droit, aurait dû être un *maculata.*

Il se demandait à moitié s'il allait se lever et jeter un nouveau coup d'œil ou juste s'en aller tranquillement, car c'était l'heure, quand surgit un jeune jardinier. Il posa sa brouette et, sans se cacher, enfonça son bras jusqu'au coude dans la fente vaginale du gommier à cidre — initiative qu'il n'aurait jamais prise en Australie. Sous les yeux de M. Cave, il ouvrit l'enveloppe, la fourra dans sa poche arrière, puis la ressortit aussitôt. Dans un soupir, il lança un regard autour de lui en souriant et aperçut alors M. Cave.

Cette scène intime à deux séquences dont M. Cave avait été témoin allait le marquer jusqu'à la fin de sa vie. Peut-être était-ce dû au vert environnant, plus vif que n'importe quelle pelouse ? Aux ombres, en forme de piques et de treillis, exceptionnellement foncées. À l'empressement nécessaire de la femme d'abord, lequel avait alors déclenché celui du jeune jardinier. Aux bottes crottées de cet homme. Au laps de temps entre leurs gestes respectifs ; à leur différence d'âge. Au foulard rose à motifs.

Et le tout, sans savoir ce qui était écrit sur le billet, ni qui ils étaient ; le caractère flou de tout cela, pareil à l'après-midi finissant lui-même.

Peu après, M. Cave décida, à sa manière bien calculée, qu'il gagnerait la main de la fille mouchetée de Holland.

7

Regnans

« Une grande perche » — terme utilisé à l'unisson par les sœurs Sprunt pour transformer la chair du mâle en une abstraction. Assis sur le canapé réservé aux soupirants, M. Cave émergeait d'un lit de roses rougissantes, les épaules presque à la hauteur de celles d'Ellen. Il était difficile d'imaginer un nom plus inadapté que Cave pour quelqu'un d'aussi raide et d'aussi grand. En conséquence, les gens oubliaient son prénom Roy et rajoutaient un monsieur devant. « Cave » est lié à une certaine horizontalité, alors que cet homme-là était vertical — poteau télégraphique taillé dans un arbre.

Ce qui intéressait Ellen, c'était ses cheveux. Au début, elle avait les crus noir corbeau. Puis elle avait repensé à la paire de chaussures qui lui avaient plu à Sydney, petites et d'un noir bleuté brillant, avec une bande pareille à la raie sur le côté de M. Cave, ce qui expliquait pourquoi elle le considérait d'un œil favorable.

Il avait presque l'âge d'être son père ; pourtant, alors que le visage du père d'Ellen était devenu un terrain rougeâtre de blocs de pierre, de ravins, de plaines inondables et de spinifex, celui de M. Cave était magiquement lisse. Il ne faisait ni ride ni pli, même quand il parlait. Les cheveux noirs peuvent se placer dans ce contexte : apparemment, ils constituaient une partie essentielle, un solide produit dérivé, de son empire sur lui-même. Les seuls plis sur sa personne provenaient de son impeccable costume safari, un concept de lignes paramilitaires kaki, pareil à une veste dessinée au crayon, qui mettait en évidence son visage où, sa raie irréprochable exceptée, il n'y avait pas un seul pli.

Les lignes verticales du malheureux costume safari contribuaient à le faire paraître encore plus grand qu'il ne l'était en réalité.

Quand il parlait avec M. Cave, Holland hochait la tête plus que d'habitude ; en même temps, il affichait une sorte de patience — inhabituelle chez lui — qui se transformait en vigilance prudente. Ce n'était pas que Holland fît montre de respect ; pas vraiment. Dans le monde des eucalyptus, tout le monde connaissait M. Cave, mais on connaissait aussi tout sur Holland et ses arbres.

Dans l'Adelaïde de M. Cave, la distinction entre cité et campagne, telle que la proposaient les Grecs, était floue. En effet, la campagne s'introduit dans la cité jusqu'aux marches de la mairie ou presque, dépose des gommiers en route, ainsi que de vastes rectangles d'herbes sèches. De ce fait, on peut dire que les habitants d'Adelaïde possèdent la clarté physique typique des campagnards et, en même temps, un flou intérieur et un visage prudent typique des gens habitués au franchissement quotidien des frontières entre ville et campagne.

Pendant ce temps, Ellen avait envie de tendre la main

et de toucher la noirceur des cheveux de M. Cave. À tel point qu'elle dut réprimer un rire.

« Vos dents sont comment ? cria son père. Goûtez un des rochers de ma fille ! »

La nourriture en tant qu'offrande thérapeutique entre inconnus n'a jamais été explicitée de manière satisfaisante. Voici un geste en apparence banal qui va bien au-delà de la simple hospitalité. En préparant de la nourriture et en en proposant ouvertement une part à un inconnu, c'est une extension d'elle-même qu'offre la femme ; on peut en tirer du plaisir, mais ce n'est pas la chair. Tout ce à quoi il — l'inconnu — a droit, c'est à un morceau représentant la femme. À un fragment, un point c'est tout. Elle reste celle qui donne, mais à distance.

Cette utilisation de la nourriture en tant que moyen — donner tout en refusant — et sans arrière-goût amer — a des origines rudes, plutôt évidentes parmi les nomades. La nourriture en tant qu'intercepteur, en tant que *déflecteur* ! Il est possible d'affirmer qu'elle continue jusqu'à présent à servir de protection dans la vie conjugale.

Et M. Cave fit alors une démonstration pratique de ce procédé profondément ancré en acceptant d'un geste prosaïque l'un des rochers un petit peu brûlés d'Ellen, sans faire vraiment attention à elle, à l'instar d'un irritable mangeur de dattes de l'*Arabia deserta.* Il ramassa ensuite toutes les miettes coincées dans ses plis et faux plis et les déposa une par une sur sa langue.

« Je ne suis qu'un amateur, rappela Holland à son visiteur. Et très amateur en plus. »

Ils évoquaient d'autres gens dans leur domaine.

« Avez-vous jamais rencontré... »

M. Cave entreprit de faire cliqueter son stylo-bille — frustration.

« Il s'appelait, comment est-ce qu'il s'appelait ? Il portait le nom d'une ville anglaise. »

Ellen sourit. Du fait qu'il avait dit ça, il lui plaisait.

Tout à ses efforts pour retrouver le nom de l'homme censé être spécialisé dans les espèces du territoire du Nord, son père plissait la figure comme un chien tandis que leur visiteur aux cheveux noirs, tout aussi résolu, demeurait immobile, le visage tout lisse sous l'effet de la concentration, presque comme un coude.

« Vous ne voulez pas parler de Hungerford ?

— Non, il est dans le raisin. Et celui-là est mort. Un tracteur lui a roulé dessus. Vous avez dû échanger des lettres durant vos recherches.

— Il y a des années que je ne suis plus en contact avec les spécialistes, expliqua Holland. Dès que ça s'est mis à tourner ici, je n'ai plus eu besoin d'eux. »

Il éclata de rire.

« À l'heure actuelle, c'est surtout eux qui ont tendance à se mettre en rapport avec moi ; à présent, c'est moi qui reçois des lettres. Ils m'écrivent de l'étranger comme si je savais tout. »

Il était dix heures et demie passées et M. Cave n'avait pas bougé. Il ne manifestait aucune signe de nervosité. Sur la véranda, il déploya ses longues jambes et les posa sur l'une des chaises de planteur. Il ne s'était pas encore soucié d'identifier un seul arbre et donnait pourtant l'impression que c'était simple comme bonjour.

Ellen ne se rappelait plus quand, elle mise à part, son père avait parlé à quelqu'un sur la véranda durant plus de trois minutes.

« Dans le coin, c'est moi l'encyclopédie ! » avait-il déclaré un jour avec une sorte de bonne humeur triomphale.

À ce qu'elle avait remarqué, son père était quelqu'un qui n'avait pas d'amis proches. Là, pourtant, il s'appuyait contre la colonne de la véranda, façon de rappeler à Ellen qu'elle associerait toujours la fumée de cigarette à son père et à la texture de son habillement.

M. Cave fumait, lui aussi.

« Les eucalyptus dominent le paysage urbain d'Adelaïde, plus que dans n'importe quelle autre ville. Ces trucs sont partout. (Indéniable manifestation de confiance en soi que de traiter des eucalyptus de « trucs ».) Nous avions un *fasciculosa* et un *cosmophylla* dans l'arrière-cour, nos voisins immédiats possédaient le plus beau spécimen de gommier écorce de bougie qu'on puisse voir et il y avait un *megacarpa* tout à fait exceptionnel sur le trottoir. Vous voyez ce que je veux dire ? À l'école, on nous apprenait à reconnaître les différentes essences à leur fil, et on recevait un coup de règle en bois brillant, et un bon coup, si on se trompait. L'esprit méthodique, on me l'a enfoncé dans le crâne. À l'école, pour meubler le temps, est-ce que vous vous envoyiez des calices de gommier à la tête ? Il y avait des eucalyptus dans la cour de l'école ; des *cladocalyx,* si je ne me trompe. Nous, les eucalyptus, ils nous sortaient par les yeux.

— Moi, je ne sais pas trop ce qui m'est arrivé, déclara Holland plus ou moins en guise de réponse. Je suis arrivé ici et j'en ai planté un, puis un autre. D'autres endroits de la propriété avaient besoin d'un arbre. J'ai continué. À un moment donné, j'ai franchi un seuil ; je ne pouvais ni faire marche arrière ni laisser les plantations en l'état. Dès lors, la situation est devenue... comment dites-vous ? une fin en soi. Tout ce qui concernait les eucalyptus était intéressant. Avant les arbres, je ne savais rien de rien. Les eucalyptus m'ont apporté un centre d'intérêt.

— Plus on les pratique, plus on les aime, c'est

comme les femmes, déclara M. Cave, pince-sans-rire. Il m'est arrivé autre chose qui, je crois, a eu un rapport. »

Il porta son regard au-dessus des arbres.

« Ma mère avait un abonnement pour aller écouter l'Orchestre symphonique d'Adelaïde. Toujours les deux mêmes sièges. Vous vous rappelez comment les habitués avaient leurs noms marqués sur les bancs des églises ? Et, toujours assise devant nous, il y avait une certaine Mlle Dora Heron, une femme en mauve, qui n'ouvrait jamais la bouche. Pour tenir à distance les microbes de ses voisins, elle ne cessait, durant tout le concert, de tamponner son mouchoir contre un flacon d'huile essentielle d'eucalyptus, quel que fût le programme. Personne, parmi les gens assis autour d'elle, moi, ma mère, ne pouvait échapper à ces émanations. Ajouté à tout le reste, ce n'est pas étonnant que les eucalyptus aient eu une telle emprise sur moi. »

M. Cave s'agita sur son siège.

« Attention, ils ont donné un sens à ma vie. »

Il dodelina du chef.

« Tout est comparaison, » dit-il sans raison apparente.

Ellen était postée à côté de la fenêtre. C'était curieux de voir comment ces deux hommes avaient à de multiples reprises laissé en plan des foules de questions sur lesquelles ils n'étaient plus revenus. De par leur ton et leur calme, ils ressemblaient à des camions bâchés et lourdement chargés changeant de vitesse à l'occasion plutôt qu'à des oiseaux vifs et légers sautillant d'un petit point de couleur à un autre.

M. Cave se leva :

« Allons regarder quelques-uns de vos trucs », déclara-t-il avec une désinvolture de mauvais augure.

Et Holland lâcha la colonne biseautée de la véranda tandis que M. Cave se dirigeait vers l'eucalyptus à feuilles de saule qui avait flanqué le plombier à mi-temps de la ville dans une impasse, si banal pour Roy Cave que c'est à peine s'il lui décocha un coup d'œil, puis vers le gommier bleu qu'on peut voir sur les collines arides d'Algérie, d'Afrique du Sud et de Californie et vers le gommier à cime argent et à écorce ficelle à côté de la grille fermant le long terrain étroit proche de la maison qui montait en pente jusqu'à la limite des arbres. Là, les eucalyptus se disséminaient, sans ordre apparent, dans toutes les directions.

Aux yeux d'Ellen, M. Cave avançait d'un pas tranquille, son père en remorque — illusion d'optique qui s'accroissait avec la distance. Si grand était ce soupirant que son père ressemblait à un vieux jockey qui court dans le sillage du propriétaire ou de l'entraîneur pour recevoir ses instructions. En fait, les instructions, c'était Holland qui les donnait à mesure qu'il biffait chaque arbre identifié.

Si une espèce présentait une difficulté, M. Cave s'écriait :

« Qu'est-ce que nous avons donc *là* ? »

Sinon, il marchait d'un pas tranquille, un terrain à la fois, un arbre après l'autre, méthodique, très méthodique. C'était tout à fait choquant, cette régularité ; il allait toujours de l'avant. Sans se défaire de sa décontraction affichée, il s'arrêtait souvent entre les arbres pour discuter d'un sujet radicalement différent.

À treize heures trente, il décréta qu'il avait terminé pour la journée.

Les grands arbres engendrent des histoires plus grandes encore. Il était une fois une femme qui s'appelait Chardon. Si un homme la touchait où que ce soit, il avait la peau qui virait au bleu, un bleu définitif, afin que les gens voient qu'il avait touché Chardon. Un jour, Ellen entendrait parler d'un homme en Écosse (dans les

Highlands ?) qui refusait catégoriquement d'adresser la parole à toute personne mesurant moins d'un mètre quatre-vingt-trois. Son père, il n'y avait pas si longtemps, avait lu un article dans le journal du matin sur une femme de soixante-trois ans au Brésil à qui on avait fait une radio après qu'elle s'était plaint de douleurs dans le ventre et chez qui on avait découvert un squelette de fœtus, suite à une grossesse extra-utérine remontant à une quinzaine d'années. Imaginez un homme dans une propriété de l'Ouest de la Nouvelle-Galles du Sud qui, ayant entrepris de planter à lui seul tous les spécimens d'eucalyptus connus, transformait ainsi sa propriété et sa vie en les mettant au service de cet objectif. Ellen avait un jour entendu la receveuse des postes dire : « Elle s'était fait un collier avec des chaînes de chasse d'eau. Elle était très intelligente. » Un homme s'était noyé dans le fleuve Murray à Mildura en se lestant avec des dictionnaires d'allemand et des encyclopédies dans la même langue. Un autre, qui venait de prendre sa retraite, et ce depuis peu, avait descendu à la nage tout le Murray — de sa source jusqu'à son embouchure ; il avait souffert de sévères crampes et s'était fait brûler par le soleil et accrocher çà et là dans l'aventure, mais était finalement ravi d'avoir accompli quelque chose qu'aucun autre n'avait accompli ou « même rêvé d'accomplir » (à ce qu'il avait dit). À part une personne, tous les habitants d'une petite ville — il faudrait que ce soit en Europe de l'Est — étaient sourds. Ce qui se passa alors... « D'après ma mère, dit à Ellen la petite bonne femme en ville, j'ai été conçue sous un gommier. » Elle avait les yeux tout près du nez, pareils à des boutons de bottine. En Islande, un jeune homme qui quittait le pays pour s'en aller en Amérique passa la nuit d'avant son départ à compter toutes les rides sur la figure de sa grand-mère. Est-ce que vous croyez aux fantômes ? Il y avait l'histoire de cette brave femme qui avait enfilé un mystérieux pantalon et s'était transformée en « homme » pendant une heure. Des histoires d'une profondeur insondable se racontent la nuit. Et la femme qui a sauvé la ville de Coventry en descendant les rues nue sur un cheval blanc ? C'est forcément une histoire puisque le cheval est blanc. Un homme tombe amoureux d'une *rivière.* Un jeune homme en parfaite santé passe une nuit avec une femme et s'en va en laissant une dent derrière lui.

Ce sont les arbres les plus grands qui ont les graines les plus petites. « D'un petit gland sourd un grand chêne. » Les Européens qui ont formulé ce dicton ne connaissaient manifestement pas les grands eucalyptus. Un monarque tel que *E. regnans,* qui ébranle la terre lorsqu'il tombe et fournit suffisamment de bois pour construire une maison de trois pièces, naît d'une graine à peine plus grande que le point qui va suivre.

À l'époque où les bûcherons du Victoria et de Tasmanie furent photographiés en train de mesurer la circonférence d'arbres gigantesques, il fut annoncé — on le trompeta à maintes reprises à l'étranger, à la façon dont les mensurations d'une vedette de cinéma étaient autrefois rendues publiques — que l'*Eucalyptus regnans,* plus connu sous le nom de frêne des montagnes, était le plus grand arbre du monde, de même qu'on affirme que Salzbourg a le taux de suicide le plus élevé du monde, et qu'il surpassait tout ce que les États-Unis pouvaient avoir à offrir. Après qu'on eut procédé aux mesures les plus rigoureuses possibles dans les forêts surpeuplées, on découvrit au moins deux frênes de montagne de plus de cent mètres de haut ; l'un des deux aurait atteint les cent quarante mètres.

Naturellement, dans les zones rurales d'Australie, l'idée qu'il y avait quelque chose, dans le pays, qui constituait un record mondial ou que, du moins, la taille de ce quelque chose ne pouvait pas être dépassée engendra une certaine satisfaction. Le Nouveau Monde manifeste des soucis de jeunes ; on s'empare des symboles phalliques, comme on disait autrefois, ainsi que des défaites militaires, afin de les brandir triomphalement.

Les Américains, quant à eux, ne purent accepter ce verdict. Pour l'Amérique, c'était le séquoia de Californie qui régnait sur le monde des arbres. Celui-ci n'eut pas à attendre longtemps pour retrouver sa place. En moins d'une génération, les plus grands *E. regnans* se mirent à perdre leur cime au cours d'un orage ou sous l'effet de la foudre ! Soit ça, soit les mesures initiales d'un ou deux experts étaient fausses. Est-ce la raison — l'impulsion sous-jacente — à la base de l'exagération ? C'est un phénomène qu'on remarque tout particulièrement juste avant et après la mort de quelqu'un.

8

Signata

Il existe cinq gommiers scribouilleurs, tous différents, tels cinq frères de la mythologie, chacun porteur d'un nom évocateur : *sclerophylla, signata, rossii, racemosa* et — voyez le bord rouge de son fruit — *haemastoma.*

Le gommier scribouilleur se concentre dans et autour de Sydney ; seul *E. signata,* par exemple, se rencontre sur une étroite bande côtière du nord de la Nouvelle-Galles du Sud et — les frontières entre États ne signifiant rien pour les arbres et les herbes — fait une incursion dans le sud du Queensland.

Tous les cinq avaient fini par être transplantés sur la propriété de Holland, bien que le plus petit, l'*E. rossii,* poussât de travers, expression de protestation juvénile.

Les signes calligraphiques distinctifs que laissaient sur les troncs les galeries creusées par des larves d'insectes ressemblaient à des mots « scribouillés », à des signatures apposées à la hâte. Ce sont les caractéristiques presque humaines de ces « scribouillages », paresseusement composés, invariablement élégants, qui attirent notre attention : peut-être y a-t-il un message secret sur cet arbre ?

E. signata peut ici représenter les cinq gommiers scribouilleurs au grand complet.

Longtemps, Ellen se surprit à fixer son père avec émerveillement chaque fois qu'il signait un papier. Ça commençait toujours par l'index qui se mettait à vibrer en un point donné — comme si Holland cherchait à écraser un insecte — puis se libérait soudain en un grand mouvement circulaire. Une fois, elle lâcha un rire véritablement horrifié comme le stylo de son père faisait un trou dans le papier rayé. Sa signature elle-même était aussi nouée et tordue qu'un bosquet de mallees — eucalyptus de qualité inférieure aux racines superficielles qui sont, en fait, des « arbustes de broussailles ». Quand il commença à acheter, un peu partout en Australie, des douzaines de jeunes plants sélectionnés, ses chèques revinrent souvent pour vérification.

Comme le programme de plantation finit par s'étendre à toute la propriété, Holland jugea nécessaire d'établir une anthographie.

Son petit calepin noir l'accompagnait partout. Il le glissait sous son oreiller comme une bible crasseuse. Il y avait un eucalyptus par page, son emplacement, la date à laquelle il avait été planté, ses caractéristiques particulières et le nom du fournisseur. Après que le boucher eut déformé le nom de son calepin, Holland prit plaisir à parler du « petit qu'a le pain » ; n'importe quoi pour se montrer léger sur la question.

Ce n'était pas un catalogage ordinaire. Les balades à travers la propriété encourageaient la méditation. Holland notait toutes sortes de choses au crayon. Malheureusement, toutes ces notations ou presque tombaient dans la catégorie des sermons ; *se reposer, c'est rouiller,* par exemple — ce qui n'est pas très parlant.

Mais, sur une autre page, il gribouillait quelque chose de nettement plus intéressant, *il n'y a jamais une seule chose.* Nous avons là une vérité multiple qui nous est proposée, quelque chose dont il serait possible de s'inspirer pour vivre ou, du moins, auquel on pourrait croire ; une ébauche de texture. *Il n'y a jamais une seule chose* est répété sur plusieurs pages et, en répétant cette formule, Holland semble la sanctionner, bien qu'indépendamment de la multiplication des eucalyptus — sa foi dans la diversité —, elle n'ait guère l'air d'avoir constitué le principe directeur de sa vie.

Tous ces scribouillages sur la propriété de Holland se multiplièrent quand Ellen se retrouva en âge de se marier.

À l'époque, Ellen écrivait bien plus de mots qu'elle n'en disait. Dans son journal, elle relatait des conversations avec elle-même ainsi que des conversations, réelles ou imaginaires, avec son père ; il y avait des descriptions de la mer, de certains grands oiseaux et des grilles de l'école de Sydney ; étaient également notés des rêves insolites et des impressions sur nombre des soupirants qui s'étaient présentés, dont le dernier était M. Cave. Le journal avait une couverture argent décorée d'étoiles de couleur. Entre ses pages, elle pouvait parler de ses sentiments. C'était son meilleur ami. Là, elle se confiait, elle se laissait emporter. Dans son intimité, monde palpitant et enveloppant, tout n'était que douceur. Ellen aimait en particulier le moment où elle entamait une page vierge et où le soleil surgissait d'un pli blanc sur le lit. Dans ces instants-là, il lui semblait se recroqueviller, au chaud dans ses pensées et enfermée dedans ; et les carillons secs des eucalyptus et la terre vallonnée dehors n'existaient plus.

Quelques-uns des soupirants éliminés firent directement appel à elle. Ceux-là, Ellen les lut avec intérêt, avec compassion même. Certains avaient utilisé un vieux bout de crayon ; l'un d'eux, un papier pour emballer la viande. Et leurs drôles de fautes d'orthographe ! Parfois, elle plaignait les hommes. Une grande feuille de papier arriva, écrite par un dénommé Thomas Leigh qui, Ellen s'en souvenait, avait passé plusieurs années quelque part en Italie. C'était presque incompréhensible ; on aurait pu croire que cette lettre avait été écrite dans un langage secret. C'était vraiment une composition de scribouillages, de mises au point, de semi-débuts, de mots effacés et de blancs ; néanmoins, la délicatesse de l'ensemble l'intrigua et, dans le coin en bas, il avait dessiné quelque chose qui ressemblait à un arbre. Quant au maître d'école du coin, son élimination occasionna un flux modeste de mots gentils, éloquents, honnêtes et résignés, ainsi que deux coupes à fruits qu'il sculpta dans un karri ou un jarrah, rien que pour elle.

Jusqu'alors, Ellen avait cru que son père savait tout ce qu'il y avait à savoir sur un sujet donné. Il lui suffisait de considérer l'accumulation des années sur son visage et sa concision quand il répondait à des questions de nature factuelle — car cela aussi dénotait une réserve de savoir. Et, chose importante, sa voix était toujours là. Il lui était assurément impossible d'imaginer qu'un autre homme sur terre pouvait reconnaître tous les eucalyptus ; pour y parvenir, il fallait quelqu'un qui lui ressemble, et plus encore.

Quant au fait que son mariage fût plus ou moins arrangé par son père, elle en avait éprouvé au départ un choc hystérique, un point c'est tout. Elle l'envisageait à présent avec curiosité, pas davantage. Tous les soupirants sans exception avaient été éliminés. Seuls quelques-uns avaient réussi plus de la moitié de l'épreuve.

Pour l'instant, M. Cave était le plus impressionnant ; sa façon de prendre son temps, les mains dans les poches, aurait dû constituer un avertissement. Au lieu de suivre sa progression, Ellen se demandait en son for intérieur et dans les pages de son journal pourquoi il évitait de regarder dans sa direction.

« Est-ce qu'il m'aime ? »

Si ça se trouve, sa participation à cette épreuve n'était qu'une sorte d'exercice intellectuel, une manière de meubler ses congés payés.

Son père entra dans la maison, l'air perplexe, décoiffé.

« Il est bon, il est plus que bon. C'est parce que sa mère a perdu la boule. Elle ne le reconnaît pas. On l'a laissé en plan. Il ne vit que pour ça. Moi, je ne vois pas d'autre raison. »

Et il se mit à hocher la tête :

« M. Roy Cave est un homme intéressant à bien des égards. »

Pauvre homme, un célibataire. Ellen essaya d'imaginer la mère.

« Tu te rappelles que je t'ai montré — des tas de fois — ce mallee à l'air rabougri derrière le réservoir — celui que j'avais cru crevé, mais qui est reparti ? Un mallee du mont Imlay : c'est un des eucalyptus les plus rares qui soient. Il m'a fallu des années pour m'en procurer un et encore plus longtemps pour réussir à le faire pousser. Très peu de gens, à part toi et moi, l'ont jamais vu de leurs yeux. Donc, comme on s'approchait, j'ai pensé : "Voilà qui va le stopper net, et il va falloir que je déniche un autre homme bien pour ma fille." Mais non, il a débité le nom correct, *imlayensis,* tout en causant du mobilier de sa mère. J'ai eu envie de lui crier : "Hé, arrêtez !" Il n'a même pas cherché à examiner l'arbre de près. Moi, je trouve ça très bizarre. À propos, on pouvait te voir en train d'étendre le linge. Devine quoi ? Ensuite, voilà qu'il me dit — en passant, si tu vois ce que je veux dire — que notre jarrah appartient à une sous-espèce, que c'est un *marginata* — je le savais —, mais que c'est aussi un *E. thalassica.* »

Holland eut un rire admiratif.

« Tous ces eucalyptus en un seul endroit — ce doit être le paradis pour lui. »

Mais à chaque fois que la conversation revenait sur les eucalyptus, Ellen avait l'impression que ça lui entrait par une oreille et que ça lui ressortait par l'autre. Et — en plus — absorbée comme elle l'était à ce moment-là par ses pensées et son trouble, elle ne comprit pas ce que son père sous-entendait.

C'est au cinquième jour qu'elle se rendit compte que M. Cave avait bel et bien réussi plus de la moitié de l'épreuve. De la tour, elle vit les deux silhouettes qui traversaient un terrain dans le lointain. La grande, et l'autre, au côté débraillé familier, qui lui arrivait au coude.

Elle vit alors le nombre de terrains déjà parcourus — elle enregistra cette réalité — qui, si l'on additionnait leurs superficies, regroupaient *des centaines d'eucalyptus.* Et sous son nez, l'homme en question en identifia un de plus, puis se dirigea vers un autre, et encore un autre. Cet homme avançait avec régularité, sans se presser. Rien ne l'arrêtait !

Elle ne savait plus où elle en était.

Elle dévala les marches, déboula dans le hall, se cogna contre les murs, ouvrit et referma des portes.

Elle s'assit, se releva.

Dans sa chambre, elle s'assit de nouveau. Elle ne savait pas quoi faire, ni où aller.

Comment tout cela était-il arrivé ? Elle voulait comprendre. Et pourquoi n'avait-elle rien vu venir ? Elle ne cessait de se demander : « Qu'est-ce que je peux faire ? » Pas un seul des soupirants n'avait été pris au sérieux ; pour ce qui concernait son père, c'étaient tous des idiots. C'était bien lui de concocter une épreuve pareille en imaginant que pas un homme sur terre ne pourrait en venir à bout.

Dans la salle de bains, elle ouvrit les robinets à fond, chose que son père n'avait jamais permise. Déjà, elle le voyait se montrer aimable, plus qu'aimable, avec M. Cave. Il y avait un respect mutuel. Apparemment, ils avaient beaucoup en commun, les arbres d'abord, et elle maintenant. Et, pourtant, M. Cave ne ressemblait pas à son père, pas du tout.

Il n'y avait personne d'autre. M. Cave était tellement sûr de lui qu'il gérait les choses en douceur. À deux heures de l'après-midi, il avait généralement regagné son hôtel. Et, pour le premier week-end, il se proposait de prendre du repos.

Ellen se mit à gribouiller des lettres à l'intention de son père. Pour la plupart, elle les déchira ou les colla dans son journal. Il y en eut quelques-unes qu'elle *lui envoya par la poste,* alors qu'elle l'entendait fourrager dans sa chambre. La première qu'elle lui adressa, elle la plaça, bien droite, contre sa tasse de thé au petit déjeuner, alors que cet homme ne pensait qu'à lire son journal.

« Mais qu'est-ce que c'est que ça ? s'écria Holland en essayant de tenir les feuillets à bout de bras. Tu avais une si belle écriture. Je n'arrive pas à lire un seul mot de ce truc-là.

— Je veux que tu la lises. »

Comme ça, il serait obligé d'accepter ce qu'elle ressentait ; pourtant, là, sur sa chaise, elle ne ressentait qu'une impression de confusion.

« J'ai envie de m'en aller, dit-elle.

— À quoi ça servirait ? »

Il regardait son écriture, les yeux plissés.

« De toute façon, tu n'abandonnerais pas ton pauvre vieux papa tout seul dans cette vieille baraque toute sombre — juste moi et les arbres ? Avec qui est-ce que je bavarderais le soir ?

— Je ne sais pas quoi faire. »

Après la troisième ou la quatrième lettre, il repoussa sa chaise.

« Tu répètes tout le temps la même chose. Maintenant, écoute-moi. D'accord, tu n'aimes pas la tournure que prennent les événements. Ce n'est pas parfait à cent pour cent, je le sais bien. Mais est-ce que c'est une erreur pour autant ? Je ne sais pas. Je m'excuse. Je ne veux pas d'une fille qui broie du noir comme si c'était la fin du monde. Mais qu'est-ce que tu veux au juste ? Moi, je dirais que tu n'en as même pas idée. Je me trompe ? Ce M. Cave — Roy — tu le connais à peine, cet homme —, ce n'est pas un mauvais bougre. En tout cas, je croyais qu'il ne te déplaisait pas. Au moins, tu ne l'as pas regardé de haut. Tu as causé avec lui ? Moi, oui — beaucoup. Je pense qu'il a beaucoup de choses pour lui. Pour commencer, c'est un homme gentil ; je crois que tu es d'accord. C'est un homme soigné, pas un cochon. Et il en connaît un sacré rayon sur les arbres.

— Je m'en suis rendu compte. »

Son père posa la main sur son épaule.

« Tout ce qu'on peut faire, c'est attendre et voir venir. »

Une fois dehors, elle se dirigea vers la rivière.

« Où tu vas ? » — la voix de son père.

Elle ne comprenait pas ce qui lui arrivait. À pas pressés, elle s'enfonça au milieu des arbres, puis s'arrêta et, dans le calme environnant, ne put s'empêcher de toucher, ne serait-ce qu'un instant, le tronc le plus proche des arbres régulièrement espacés. Les eucalyptus, qui étaient la cause de tout cela, lui procuraient aussi un espace de réflexion.

9

Maidenii

Celui-ci, c'est l'arbre que Holland a offert à sa fille pour son anniversaire. Elle avait treize ans.

Elle avait fait irruption tôt dans sa chambre sans cacher son impatience. Holland n'avait pu s'empêcher d'admirer sa surexcitation. Pour prolonger l'instant, il avait joué le truc cruel du papa qui fronce les sourcils sous l'effet d'une surprise feinte, comme s'il ne savait pas quel jour c'était. Puis, devant les doutes qui altéraient le visage d'Ellen, il avait tendu le doigt vers l'armoire.

Nul métrage de ruban bleu autour du pot en terre cuite, nulle explication sur la pertinence du nom botanique n'aurait pu masquer sa déception. Au lieu d'un cadeau, il lui semblait subir une dépossession. C'était comme s'il s'était fait un cadeau à lui, et un très banal en plus. Que faire d'un arbre ? Même le rituel qui consistait à le planter ensemble sur la pente nord, en face de la ville, ne la rendit pas plus heureuse.

Les années avaient passé assez platement. Peu à peu, elle avait perdu de sa joie de vivre ; elle ne savait pas pourquoi. Quand les soupirants commencèrent à arriver au volant de leurs camions, de leurs voitures, en moto, en train ou à pied, Ellen avait repris l'habitude agréable de se promener ou tout simplement d'exister, au milieu de ces nombreux eucalyptus, tout différents. C'est là, un matin, qu'elle repensa à son arbre, *E. maidenii,* et, après plusieurs heures, elle le localisa à l'autre bout de la propriété, à un endroit où le sol était humide et plutôt lourd, loin de la maison.

Ellen recula et sourit devant ce qu'elle vit.

Comme elle, il avait grandi : mince, droit, pâle. Il était fin dans sa beauté aux membres écartés ; pour Ellen, il était de sexe féminin.

Sur une impulsion, elle eut envie d'attraper un balai et de nettoyer les cochonneries habituelles à son pied, de balayer la terre autour de l'arbre. De tous les eucalyptus de la propriété, celui-ci était à elle. Et elle voulait qu'il se distingue, qu'il soit bien net — comme le monument aux morts d'une petite ville est briqué avec de l'eau et du savon.

Au même moment, Ellen remarqua un gros clou rouillé enfoncé dans le tronc. Ça ne pouvait venir que de son père — qui d'autre ? Cela lui fit une drôle d'impression. Ce n'était pas comme si on lui avait enfoncé un clou dans le corps, mais plutôt une vague surprise devant un objet en acier fiché dans la douceur de la nature. Sur le sol alentour, il n'y avait aucun autre indice d'un passage humain, pas de rouleau de fil barbelé, ni de canette de bière trouée, ni de paquet de cigarettes défraîchi, ni de cartouche de fusil à côté des terriers de lapins.

Le clou, alors, demeura sans objet.

C'était une journée bourdonnante de chaleur. Face à l'arbre, comme face à un grand miroir, elle prit ses seins entre ses mains et les souleva doucement pour les soustraire à l'attraction de la terre. Elle avait vaguement envie de s'embrasser. Si la terre rougeâtre, les feuilles mortes, les brindilles, les herbes sèches, les fourmis et les eucalyptus distants et piquants n'avaient pas été aussi peu attirants, aussi peu sympathiques, elle se serait déshabillée ; elle aurait tout enlevé et aurait fait face à la chaleur et au vaste horizon dans leur ensemble. C'était de son âge.

E. maidenii est lié à la Tasmanie et au gommier bleu (*E. globulus*) ; c'est un arbre très vigoureux.

Le fût a une petite chaussette d'écorce grisâtre à sa base, l'écorce supérieure est lisse, tachetée. Son feuillage juvénile est bien visible et attirant au milieu des sous-bois.

10

Torquata

Le paysage continue à s'imposer (plus pour très longtemps). Amarrée à la ferme par la ligne lâche d'une clôture, une cabane en bois brut pour la tonte des moutons plane au-dessus de son ombre dans un terrain. Il va presque sans dire que la terre est entrelacée de fils barbelés. La ligne droite est tout de suite brutalement humaine.

Multitude d'herbes ondoyantes — dorées en été, comme mentionné auparavant. On lit souvent que nos récoltes et nos herbes ondoient et claquent comme de grands océans sur la terre ronde ; qu'à d'autres moments une brise légère peut faire ployer les tiges plantées moins dru et les faire ressembler aux poils dorés du bras d'un marin. À travers un terrain dans l'après-midi : des eucalyptus répétés çà et là sur le sol du fait qu'ils se déploient à angles droits, comprimés comme des taches d'encre ou des empreintes de pouce sur un buvard. Et toujours les arrangements dispersés, en apparence erratiques, de la Nature. C'est cette inéluctabilité désinvolte — la perspective de l'arbre tombé brisant la verticale des autres — qui permet à l'œil de se reposer.

Ellen avait une préférence pour le secteur autour du vieux pont où la géométrie sereine des eucalyptus accroissait un peu la possibilité qu'elle fût, elle aussi, élégante — c'était quelque chose comme de l'élégance ; de plus, le bruissement de la rivière proche qui décrivait un méandre constituait un réconfort, une alternative aussi.

À présent qu'elle avait localisé son arbre, elle allait lui rendre visite à l'occasion, de l'autre côté de la colline.

Un jour, en début d'après-midi, elle entendit des voix là-bas, des voix d'hommes, alors qu'elle ne s'y attendait pas. D'après les règles édictées par Holland, un soupirant pouvait commencer et arrêter son épreuve en n'importe quel point de la propriété et M. Cave avait proposé de commencer par l'autre bout, pour changer. Les oiseaux, les premiers, se mirent à s'égailler dans les branches, certains lancèrent l'alerte, un lapin, puis un autre entamèrent leurs fameux zigzags qui attirent le fusil et un wallaby se redressa et retomba tout près d'Ellen.

Elle demeura derrière l'arbre pâle alors qu'il aurait mieux valu qu'elle se montre.

Cet homme nommé M. Cave, qui avait parcouru la moitié du continent, se dirigeait à présent vers elle d'un pas ferme, pour l'emmener. C'était lui. En cet endroit, les eucalyptus étaient très serrés. Cela ne l'arrêtait pas. D'une voix égale, il identifiait chaque espèce au passage et Holland approuvait dans un murmure, jusqu'au moment où ils se retrouvèrent tout près.

Ce jour-là, M. Cave portait une cravate et une tache de sueur de la forme de la Papouasie-Nouvelle-Guinée s'étalait sur son dos alors que le visage de Holland était rouge pâle, poisson de récif corallien évoluant à travers les arbres. Ils parlaient de serpents, leur taille, où ils les avaient vus, comment ils avaient manqué poser le pied dessus, *et cetera.* D'un homme à l'autre, les histoires de serpent ne diffèrent que par leur longueur.

« Ils se fourrent dans votre sac de couchage pour avoir chaud, dit Cave. Ça arrive, c'est connu.

— Nous, on a tous les eucalyptus et, en plus, les serpents les plus venimeux.

— C'est ce que je me suis laissé dire. »

Ils étaient de l'autre côté de l'arbre. Il était trop tard pour que Ellen se montre et les surprenne.

« Les serpents de mer, j'espère que je ne vais jamais en rencontrer un. Un mallee savon et le grand, c'est un *kirtoni.* Ça, c'est ce que j'appelle un eucalyptus. Il vous ferait une carte postale, comme un rien. *Maidenii,* je me trompe ? Un de mes préférés depuis toujours. »

L'ombre de son père acquiesça.

« Et il vous faudrait faire des kilomètres, à mon avis, pour voir un spécimen plus beau que celui-ci. »

À ce moment-là, Ellen, oubliant presque l'endroit où elle se trouvait, observa le comportement désinvolte des deux hommes. L'un comme l'autre étaient en train de farfouiller dans son pantalon, et la main de M. Cave, la plus proche, réapparut au grand jour serrée sur une chose molle dont l'œil recouvert d'une paupière scrutait Ellen ; ils se mirent à pisser, M. Cave, son père, contre le tronc.

La seule conclusion à laquelle elle put parvenir, ce qui ne la tira pas de sa perplexité, c'était qu'ils avaient une indifférence totale envers elle. Côte à côte, ils demeurèrent à baisser les yeux sur eux-mêmes et à les lever sur les arbres. Pour Ellen, leur comportement se calquait en un sens sur la façon dont M. Cave se déployait à travers le paysage, tel un cône ou un projecteur, en consumant tout ce qui se trouvait devant lui ; et, d'ici peu, c'est elle qu'il consumerait.

Cachée derrière le tronc, Ellen sentit ses forces s'amenuiser. En plus, elle éprouvait de l'irritation. Comme ils finissaient, elle en entendit un qui respirait.

S'attendant désormais à être découverte, Ellen ferma les yeux ; pourtant, ce ne serait pas le cas, pas encore.

11

Nubilis

Un autre soupirant, doté d'impressionnantes références, se présenta, juste pour s'entendre conseiller de se tenir à distance tant que M. Cave n'avait pas terminé.

Il avait une barbe poil-de-carotte et s'appelait Swingle.

Il travaillait derrière un bureau aux jardins botaniques de Melbourne, mais avait été congédié pour s'être permis des voyages d'études sans autorisation ; il avait en effet l'ambition de découvrir une espèce d'eucalyptus inconnue, ou même une sous-espèce, afin de lui donner son nom, à la façon dont d'autres laissent une trace d'eux-mêmes en baptisant des papillons, des roses, des fougères — et, bien entendu, des eucalyptus. Si l'*E. merrickiae,* plus connu sous le nom de mallee gobelet, avait récompensé Mlle Mary Merrick, des jardins botaniques royaux de Sydney, des longues années qu'elle avait passées à la bibliothèque, pourquoi en aurait-il été différemment pour lui ? Un certain M. Bloxsome avait donné son nom à une espèce découverte sur sa propriété dans le sud-est du Queensland...

La banale quête d'immortalité de Swingle l'avait entraîné vers des terrains difficiles et éloignés. Au cours d'un de ces voyages solitaires, il s'était cassé un bras. Récemment, sur une corniche des Grampians, il avait piétiné et détruit le seul plant restant d'un eucalyptus nain inconnu qui arborait des feuilles extrêmement étroites. Il avait fait ça et ne s'en était pas rendu compte.

Curieusement, c'était un homme modeste. Et à mesure que le rêve de sa vie devenait de plus en plus improbable, Swingle se contentait de devenir *philosophe,* comme on dit — c'est-à-dire désabusé, pas aigri.

Le choix d'un nom scientifique ne répond pas à des normes. À certains égards, il a un côté aléatoire séduisant qui frise l'amateurisme, tout comme la répartition des arbres eux-mêmes. Certains noms décrivent l'écorce, les feuilles *et cetera* ; des villes et des chaînes de montagne proches d'un habitat d'eucalyptus voient leur nom s'allonger et se *latiniser* ; des explorateurs et quelques politiciens intéressés par les arbres ont laissé leur empreinte ; de nombreux professionnels, des collectionneurs de plantes amateurs et quelques aquarellistes se voient ainsi honorés. Le révérend E.N. McKie, pasteur presbytérien à Guyra, était un passionné, spécialisé dans les spécimens à écorce ficelle — McKie's à écorce ficelle (*E. mckiena*).

Très souvent, c'est le nom vernaculaire qui se révèle immédiatement évocateur : veste en cuir, gommier pleureur, gommier spectre, coolibah pour en citer quelques-uns.

D'où *E. nubilis* a-t-il tiré son nom ? Il est curieux. *Nubilis* signifie en âge de se marier.

12

Baxteri

Cette histoire n'est ni banale ni inhabituelle.

Elle a été racontée à Ellen par un homme qu'elle a rencontré il y a seulement quelques jours (un quasi-inconnu donc) et qui a une façon alambiquée de raconter, comme s'il inventait au fur et à mesure, et, qui plus est, il la lui a racontée sous un arbre où les corneilles faisaient tout un raffut ; il a aussi ajouté des bribes d'informations factuelles qu'elle n'a pas moyen de vérifier et sans grand rapport apparent avec le thème essentiel. Malgré toutes ces distractions, Ellen a trouvé l'histoire très forte pour ce qu'elle symbolise peut-être, en d'autres termes, pour tout ce qui n'a pas été vraiment dit.

Un jeune homme, lui dit-il, quitta la Grande-Bretagne

et se rendit à Bombay où il avait réservé une chambre dans le plus célèbre des hôtels de l'Inde, le Taj Mahal, dont les plans avaient été conçus par son arrière-grand-père à la fin du siècle dernier. Il voulait voir de ses yeux si le bâtiment avait bien été tragiquement édifié par rapport à la mer. Le Taj Mahal regarde à la porte de l'Inde, ou en donne l'impression, et l'océan, à cet endroit, affiche tous les jours de l'année des couleurs aussi foncées que les gens qui se plantent devant lui pour le regarder. Dans sa famille, on racontait que l'arrière-grand-père avait conçu les plans de l'hôtel jusqu'aux boutons de porte et jusqu'à la taille des plinthes et qu'il avait défendu les moindres détails comme si sa vie en dépendait. Allez savoir comment, il avait réussi à préserver l'escalier incroyablement dispendieux et le dôme impérieux qui paraissaient ne pas avoir d'autre fonction que de donner à cet hôtel l'apparence d'un opéra ou d'une bourse des valeurs. Une grande part du génie d'un architecte consiste à emporter le morceau quand il y a discussion. Satisfait, notre homme sauta dans un bateau et partit en vacances en Angleterre.

Nul ne sait ce qui lui arriva à Londres. Il se produisit quelque chose. La rumeur, inévitablement, évoqua une femme.

Au lieu de quatre mois, il resta absent dix-huit mois. Lorsqu'il revint à Bombay, son projet grandiose était presque achevé. Il y jeta un coup d'œil et s'aperçut que les entrepreneurs indiens avaient construit le bâtiment à l'envers : il tournait le dos à la mer ! L'histoire alors, telle qu'elle se transmet, veut qu'il s'arracha littéralement les cheveux et que, dans un geste destiné à traduire sa révolte et sa déception inimaginable, il se jeta du haut de l'escalier semi-circulaire et qu'il en mourut.

L'arrière-petit-fils de l'architecte se présenta à la direction de l'hôtel. Bien que personne ne voulût confirmer ou infirmer la rumeur entourant la mort de l'architecte, on lui donna une chambre ouvrant sur la mer avec une réduction généreuse. Il s'aventura dans les rues. Pour ce qui était de sa propre carrière, il était indécis. Il fut malade quelques jours. Sinon, sa visite s'avéra... peu concluante.

Voici maintenant que nous retrouvons la trace de ce jeune homme devant notre propre seuil. Au lieu de rentrer en Grande-Bretagne, il s'envola pour Sydney et, après quelques jours à la plage, se dirigea vers Bathurst.

Bathurst ? La ville la plus froide de la Nouvelle-Galles du Sud ? Ce garçon était néanmoins quelqu'un qui s'intéressait à l'Histoire ; il personnifiait l'esprit anglais. Et Bathurst est l'endroit le plus à l'ouest que Charles Darwin atteignit en mille huit cent quelque chose. Dans les jardins municipaux, il y a une plaque qui signale ce fait.

Le voilà donc à Bathurst, notre voyageur britannique.

C'est à Bathurst ou, plutôt, dans les faubourgs de Bathurst, que l'histoire prend un tour nouveau. Le deuxième jour, alors qu'il se promenait au bord de la rivière, il tomba sur deux serpents marron — dont l'un était en train de muer. Il tua celui qu'il ne fallait pas et se retrouva métamorphosé en femme. C'est apparemment ce qui se produisit.

La dernière fois où on entendit parler de lui, il vivait à Seattle — ou était-ce à San Francisco ? — dans la peau d'une femme.

L'architecture du tribunal de Bathurst est tellement outrée qu'il n'a pas l'air à sa place. Dans les premiers temps, c'était Whitehall qui envoyait les plans des bâtiments municipaux de la colonie. À ce qu'il paraît, Bathurst reçut par erreur les plans du tribunal d'une ville indienne alors que la ville indienne se vit octroyer le bâtiment plus modeste qui aurait suffi pour Bathurst.

Mais, ça, c'est une autre histoire.

13

Microtheca

Sous les yeux d'Ellen, M. Cave s'embrouilla. L'espace d'un instant, il parut fini ; mais, comme il sied à un monarque, il garda son calme. Il détourna nonchalamment son regard de l'arbre en question, un mallee d'une banalité horripilante, obstinément modeste, un survivant et rien de plus — l'*E. fruticosa* aux allures d'arbuste, facile à confondre avec l'*E. foecunda.*

Il s'était mis à parler d'un sujet sans aucun rapport, à savoir comment régler, sur ce continent extrêmement aride, le problème des rivières et des fleuves qui se déversent dans l'océan dès qu'ils en ont la possibilité, erreur de la nature qui engendre un immense désert au centre — zone de vide absurde — à peu près dénué d'une quelconque utilité, sinon qu'il stimule des millions de photographes médiocres et aiguillonne l'imagination de politiciens, de journalistes et autres penseurs originaux. Ellen, qui venait juste de leur porter une Thermos de thé, remarqua que ses phrases traînaient en longueur et qu'il jetait des coups d'œil furtifs sur le feuillage.

Puis il se tut. Pour M. Cave — et pour Ellen qui attendait —, ce silence se prolongea durant une minute cruciale ou plus.

C'est Ellen qui commença à s'impatienter. Elle avait envie de fermer les yeux, de faire n'importe quoi pour appuyer la possibilité d'une délivrance.

Il arracha une feuille.

« Un eucalyptus sans nom vernaculaire », déclara-t-il toujours sans se retourner.

Et d'une voix d'où il avait refoulé tout enthousiasme

et qui a pour source les jeux télévisés nationaux, il déclina le nom correct en latin.

Après cela, Ellen, incapable de suivre cette scène plus longtemps, s'en alla sans dire un mot et descendit vers la rivière. Ses pensées couraient sous et hors le couvert des arbres, comme si elle était vraiment en train de galoper à travers la futaie : un mariage arrangé ; plus celui de son père que le sien ; un mariage dans la distance ; un mariage sans son consentement, sans sa participation ; son moi tout entier donné à cet homme, cet homme d'Adelaïde ; un mariage blanc ; rien de plus. Et son père, à ce qu'il semblait, parlait toujours d'elle sur un mode délibérément léger, souvent badin.

La tranquillité des arbres avait un effet apaisant. Pourtant, de désespoir, elle poussa presque une sorte de cri animal.

Et, tandis que se multipliaient les fûts régulièrement espacés à sa droite et à sa gauche et derrière elle, Ellen ressentit un vague plaisir à l'idée qu'elle les « fuyait », tous les deux.

Une lumière argent coulait à l'oblique entre les troncs immobiles, comme si elle tombait de fenêtres étroites. La cathédrale s'inspire de la forêt. La voûte du plafond qui monte jusqu'aux cieux, les piliers lisses à l'imitation des arbres et même l'écho obligatoire sont calculés pour qu'une personne se sente toute petite et déclencher ainsi chez elle des sensations d'obscur émerveillement. Dans une cathédrale comme dans une forêt, il suffit d'un grincement pour piétiner de doux sentiments. Pour cette raison, Ellen continua inconsciemment à marcher sur la pointe des pieds.

À l'endroit où les calculs se terminaient et s'ouvraient sur la lumière et l'espace, Ellen décida de faire demi-tour, mais quelque chose, par terre sous un arbre, attira son attention. Durant un instant, elle crut qu'il s'agissait d'un ballot de linge que son père avait laissé là. Or, voilà que de doux contours charnels apparurent au milieu du bush, arbres et broussailles faisant soudain office de toile de fond.

C'était un homme allongé dans l'ombre ; un corps étranger, sur leur propriété.

Elle se dit : un autre soupirant !

Sur le point de battre en retraite vers la maison, elle fit à la place deux pas en avant. Durant quelques minutes, elle resta figée là, et rien autour d'elle ne bougea. Et s'il était mort ? Elle fit quelques pas de plus. S'il était endormi, elle verrait de qui il s'agissait. Elle avait envie de voir son visage.

Mais il avait la tête à moitié enfouie dans le creux d'un coude, et tous les deux étaient trempés d'ombre. Pour voir son visage, Ellen hésita, puis s'accroupit.

Elle était proche à le toucher.

Il n'était pas rasé. Une joue hâlée. Il avait profité du grand air. Un vagabond. À côté de lui, il y avait quelque chose de dur et d'étroit qui semblait faire office de baluchon, un vieil étui noir, du genre de ceux qui renferment des appareils scientifiques, pas des instruments de musique. Dans cette région, on lui aurait trouvé les cheveux longs. Pour Ellen, c'était des cheveux de Sydney. Ses vêtements aussi, de bonne qualité, étaient gentiment usés.

Sous les yeux d'Ellen, ses lèvres bougèrent. « Il doit être en train de rêver. » Et : « De quoi est-ce qu'un homme sous un arbre par ici peut-il bien rêver ou à quoi quelqu'un comme lui peut-il bien penser ? »

À propos du corps des hommes, les parties visibles : il y a les cicatrices. Les hommes ont tendance à les accumuler. Les hommes *portent* des cicatrices, presque comme les femmes portent des bijoux. Trimballer une cicatrice, c'est trimballer une histoire. Sous chaque cicatrice, donc — une histoire, malheureusement.

Ellen regardait la petite marque translucide sous l'œil, une estafilade bien droite, quand l'œil lui-même s'ouvrit et l'examina.

Il était vert kaki, cet œil. Compte tenu des circonstances, largement placées sous le signe du hasard — de la lumière crue et de l'ombre filtrée —, c'était la couleur d'œil à laquelle Ellen s'attendait.

Pourtant, il demeura immobile, ne déplaça même pas son coude. C'était comme s'il était — sur leur terre — allongé dans un lit.

À sa grande surprise, Ellen prit la parole en premier.

« Qu'est-ce que vous voulez donc ? s'écria-t-elle.

— Qui pouvez-vous bien être ?

— Ça n'a pas d'importance ! »

Ellen se releva. Il jouait les malins. Tout en époussetant des brindilles et des feuilles imaginaires sur son ample robe en coton, elle envisagea de s'en aller. Or, il se redressa. Il était plus vieux qu'elle, mais sans être — et de loin — aussi vieux que son père ou M. Cave. Il avait peut-être trente-trois ans, pas plus.

« J'ai ouvert les yeux juste là et, au lieu d'étoiles, j'ai vu des... petites taches devant moi. »

Ellen ne savait pas trop de quoi il parlait. Elle fit mine de partir.

« Vous parliez en dormant.

— Ce n'est pas aussi passionnant qu'on pourrait le croire. Qu'est-ce que j'ai dit ?

— C'était le nom de quelqu'un. »

Il éclata de rire : et resta comme ça, de biais par rapport aux branches au-dessus de lui, aux feuilles pendantes.

« Qu'est-ce que c'est que cet arbre à l'air tragique ?

J'aurais dû en choisir un plus joli. Si je ne me trompe, c'est un... »

Justement, *E. microtheca,* très connu sous le nom de coolibah, était un des rares eucalyptus qu'Ellen reconnaissait, uniquement parce que son père s'était souvent moqué de son sens historique choquant, « l'histoire des tombes peu profondes », comme il le formulait.

Mais, en fait, l'inconnu ne donna pas le nom de l'arbre.

Peut-être ne s'agissait-il finalement pas d'un autre soupirant lâché dans la nature ? Les sourcils froncés, elle repensa à son père qui, un jour sur deux, la mettait en garde contre les hommes et leur façon de se servir des mots. Jusqu'à présent, celui-ci n'avait pratiquement rien dit. Quand elle lui jeta un coup d'œil à la dérobée, il n'était même pas en train de regarder dans sa direction. Absorbé par autre chose, il tournait sa tête aux allures de sculpture.

C'était trop fort qu'il puisse être assis là comme ça lui chantait ! En même temps, Ellen se sentait légèrement envahie par une impression de réconfort en constatant qu'ils acceptaient sans problème, l'un comme l'autre, qu'un silence s'ouvre entre eux. À peine avait-elle noté ce détail qu'elle en éprouva de l'agacement et eut envie de le montrer, sans trop savoir pourquoi.

« Pourquoi ne pas vous asseoir ? Soit ça, soit je me remets sur mes pieds. Je ne peux pas admettre que vous me dominiez de toute votre hauteur. Ça n'a pas de sens. »

Sans attendre, il se releva quand même, ce qui suscita un vague sourire chez Ellen.

De nouveau, il détourna les yeux.

« Savez-vous... »

Les mains dans les poches, il se mit à déambuler ; sans

raison apparente, il se lança dans une sorte de gigue irlandaise, ce qui manqua faire rire Ellen — comme si lui, un parfait inconnu, eût été content de la voir.

Cela suffit à lui donner envie de s'en aller, sauf qu'il était en train de lui dire quelque chose, alors qu'il lui tournait le dos.

Il était occupé à arracher une lanière d'écorce. Quand il se retourna, des ombres voletèrent et ruisselèrent sur son visage, comme des plumes ou de l'eau.

« Savez-vous..., commença-t-il, qu'il y a une femme qui vit à Melbourne, pas loin de la rivière Yarra. Durant de nombreuses années, elle a travaillé pour une étude de notaires sur Bourke Street, spécialisés dans les testaments. »

Il s'éclaircit la gorge et jeta un regard vers Ellen, à quelques pas de distance.

« Elle est née en Europe de l'Est, dans une ville où il y a de nombreux ponts. Son père avait une moustache brune et des cheveux très frisés et gris. Il devait avoir des cheveux comme un petit cours d'eau ou comme votre rivière quand elle est en crue. Il portait sa veste sur les épaules, ainsi que les hommes de sa ville le font encore aujourd'hui... C'est une vieille coutume, presque féminine, vous ne trouvez pas ? Cette femme se rendit compte pour la première fois que son père était un ténor de renom quand il l'emmena, toute gamine, faire un pique-nique dans une forêt de sapins et qu'il se mit à chanter. Sa mère était chanteuse, elle aussi. Elle venait d'une vieille et riche famille de commerçants.

« Oui, ce pays vivait sous un de ces fameux régimes politiques répressifs. C'est un gouvernement par "bétonnage". Personne ne pouvait quitter le territoire sans autorisation. Et même si on parvenait à en décrocher une, on ne pouvait pas sortir d'argent. La monnaie nationale n'avait aucune valeur. Pour contourner ce problème, les gens recouraient à toute sorte de méthodes créatives.

« Sous un arbre, dans le jardin, les parents de cette femme avaient enterré une précieuse collection de timbres qui rassemblait des classiques du XIXe siècle, des pièces rares du cap de Bonne-Espérance, de l'île Maurice et de Tasmanie. Elle provenait d'un héritage du côté maternel. Tous les ans ou presque, le ténor à la moustache se rendait auprès de l'arbre, déterrait la boîte en métal émaillée enveloppée dans une toile cirée et, avec une pince à épiler... »

Là, il fixa un œil sur Ellen.

« ... il retirait *un précieux timbre* qu'ils pouvaient alors facilement glisser dans une enveloppe et vendre à Genève en échange de devises fortes. C'est ainsi qu'ils poursuivaient leurs récitals à travers l'Europe.

« Le père gâtait constamment sa fille. Il revenait toujours avec des cadeaux dispendieux pour elle. Parfois, quand il allait au café avec des amis à lui, il emmenait la petite. Avec eux, il faisait montre d'une gaieté tapageuse. De temps à autre, elle s'endormait, la main dans la poche de son père. À diverses reprises, il la présenta à des femmes superbement habillées qui avaient l'air de ne jamais cesser de rire — dont certaines portaient des chapeaux à voilette et qui, toutes, laissaient du rouge à lèvres sur les verres et sur des gâteaux tout blancs.

« Puis ce devint une jeune femme. Oui, il va nous falloir dire qu'elle avait une beauté mélancolique. Un rouquin étudiant en droit n'avait absolument aucun doute là-dessus. Mais ils ne pouvaient qu'échanger des murmures dans la rue ou au café. Son père refusait qu'il approche de la maison ou qu'elle le voie. À la seule mention de son nom, il piquait une colère. De l'avis de son père, l'étudiant n'avait rien pour lui. Pour aggraver les choses, il était surveillé à cause d'une certaine activité politique.

« On le pria de ne plus prendre la peine d'écrire des lettres. Tout ce qu'il écrirait serait intercepté par le père et brûlé. »

À moitié exposée au soleil, Ellen scrutait le visage de l'inconnu pour voir s'il inventait au fur et à mesure.

Il poursuivit son histoire, en prenant tout son temps.

« Il restait quelques timbres. Pour la distraire de l'étudiant qui, il s'en était rendu compte, voyait sa fille en cachette, il l'emmena en voyage, juste tous les deux. Ils allèrent d'abord en Suisse — pour négocier un timbre. À Genève, il rencontra une diva italienne. Quelle *prima donna* — l'incarnation même de la cantatrice ! La fille vit son père s'éprendre d'elle. Il n'avait de cesse qu'elle devienne sienne. La fille accompagna son père quand il suivit la diva à travers l'Europe. Finalement, dans un hôtel cinq étoiles de Madrid, il parvint à ses fins. Presque au même moment, il se retrouva à court d'argent ! Il leur fallut rentrer. En pleurs et la tête nichée contre la poitrine de sa fille, il chanta de lugubres chansons dans le train.

« Sa forte femme les attendait, les bras croisés. Il lui suffit d'un regard sur son mari pour comprendre. C'était de nouveau la même histoire. Il y avait toujours une autre femme quelque part. Cette fois-ci, elle décida de ne rien faire.

« Mais le père avait désormais peu de choses à dire à sa femme. Il ne pensait qu'à la *prima donna* italienne. Il avait perdu l'appétit. Il n'arrivait plus à dormir. Il décida de repartir en Suisse, tout seul cette fois. L'épouse essaya brusquement d'intervenir. Elle batailla, elle pleura. Elle supplia sa fille de l'aider. La fille, qui vit maintenant à Melbourne — il écoutait toujours ce qu'elle disait. Et ils se ressemblaient tellement. Entre-temps, l'étudiant rouquin avait été arrêté. C'était la prison, lui dit-on, ou l'exil.

« La fille passa un marché avec son père : ils se partageraient les timbres restants. Elle partirait avec l'étudiant, et lui pourrait retrouver la *prima donna.*

« Le père accepta avec empressement. »

Tout en parlant, l'inconnu parut remarquer quelque chose dans le ciel. Il plissa les yeux.

« Ensemble, ils choisirent une date de départ. »

Dans la chaleur, sa voix paraissait intéressée.

« La fille se mit en quatre pour se montrer gentille avec sa mère, mais celle-ci ne s'en laissa pas conter. Ces pays fermés produisent bien entendu des distorsions. Devant l'arbre au trésor, elle rejoignit son père, à genoux en train de chercher la boîte en fer-blanc renfermant les timbres. Il y avait quelque chose d'enfantin dans son optimisme — il fredonnait une aria prometteuse. Dire que quelques images sur papier dentelé dans la paume d'une main représentaient la solution de leurs vies.

« Elle repensa au clin d'œil qu'il lui avait fait. Il fallait garder le silence.

« Juste une heure plus tôt, elle s'était servie de la pince philatélique pour s'épiler les sourcils. À présent, elle la tenait toute prête tandis qu'il ouvrait la boîte en fer-blanc émaillée. La veste tomba de ses épaules.

« Tous les timbres avaient été brûlés. Il ne restait rien dans la boîte à part des cendres.

« Des années plus tard, elle réussit à quitter le pays, choisit le lieu le plus éloigné qu'elle put trouver. Les autres protagonistes de l'histoire, dont l'étudiant, restèrent derrière, s'apercevant à l'occasion. »

Pauvre pauvre femme, se dit Ellen. Et elle essaya de l'imaginer, cette fille qui était désormais une femme vivant à Melbourne — loin, très loin de son pays.

Comment le père avait-il pu continuer ? À vivre sous le même toit que la mère ? Une histoire n'a jamais de fin, elle le voyait. Quelle que soit l'existence concernée, il ne peut pas y avoir de fin agréable. Il n'y a que le début.

Ellen avait envie d'en savoir plus. Mais l'inconnu s'en moquait. De toute évidence, il pensait à autre chose. Cette façon de se détourner, de la laisser en plan comme si elle n'était qu'un arbre, et rien de plus... c'était incroyablement grossier. Il n'y avait personne d'autre dans un rayon d'un kilomètre et demi. À présent, même ses cheveux notoirement longs et, aussi, son regard attentif étaient tout à fait déplacés, sous la lumière aveuglante.

Prête à le lui signifier en s'éloignant, elle s'aperçut à sa grande surprise qu'il avait l'air de s'éclipser ou de s'éclipser à moitié en la laissant seule sous le coolibah. Tous les deux s'éloignèrent de l'arbre. Ellen n'avait pas du tout envie de le revoir.

14

Camaldulensis

Certains eucalyptus étaient si communs qu'ils ne méritaient guère l'attention de M. Cave. De temps à autre, Holland était obligé de le rappeler à l'ordre et de lui répéter les règles de base qu'il lui avait soigneusement expliquées au départ — à la façon dont l'arbitre d'un combat pour le titre poids lourds appelle les deux adversaires au centre du ring et lève la tête pour les dévisager tour à tour, tandis que les entraîneurs, le visage vide d'expression, s'associent à l'affaire sans cesser de masser le cou de leurs poulains — et ces règles étaient qu'il fallait reconnaître tous les eucalyptus sans exception s'il voulait, lui ou n'importe qui d'autre, gagner la main de sa fille. Et maintenant, dépêchons-nous.

Cependant, on peut admettre que tout ou presque peut passer inaperçu à la longue. Et il est vrai que certains eucalyptus défilent devant les yeux en quantités tellement astronomiques qu'ils en subissent une sorte de « brunissement » optique et en deviennent vraiment invisibles à force de banalité, comme tel est le destin des mauvaises herbes et des poteaux télégraphiques.

Ellen avait été mise en garde contre l'imprévu derrière le banal. Chaque objet sur terre a une histoire, cela va sans dire, laquelle découle d'une autre histoire, et ainsi de suite ; ça continue éternellement. Il peut suffire d'un nom, s'était laissé dire Ellen, pour lancer le processus. Et l'imprévu peut apparaître en petites et en grandes quantités.

L'eucalyptus le plus commun au monde est le gommier rouge. Rien que dans la seule propriété de Holland, il y en avait des centaines le long de la rivière. Et pourtant — maigre exemple d'imprévu —, malgré sa vaste répartition, on ne le rencontre pas en Tasmanie.

Avec le temps, des tas de légendes se sont attachées au gommier rouge de rivière (*E. camaldulensis*). C'était à prévoir. De par leur nombre, il y a toujours un gommier rouge pour, ici ou ailleurs sur cette vaste terre, s'imposer à l'œil, si l'on peut dire ; et, en suivant le cours des fleuves et des rivières de notre continent en particulier, ils ne se contentent pas d'imprimer leurs silhouettes floues dans notre mental, mais s'y frayent un chemin verdoyant en apportant une part d'espoir face à la sécheresse généralisée où croassent les corneilles.

Qui plus est, ces vieux arbres tachés et verruqueux ont tous un côté trapu et massif qui leur donne une allure de grand-père ; c'est-à-dire une longue vie remplie d'incidents, de saisons, d'histoires.

Curieusement, malgré sa large distribution en Australie, c'est à partir d'un arbre cultivé dans le jardin clos de l'ordre des camaldules à Naples que le gommier rouge de rivière a été décrit pour la première fois dans la littérature. Comment est-ce arrivé ?

Ellen eut droit à quelques éléments de l'histoire (un peu comme la quille d'un navire non terminé) ; assez pour qu'elle s'en empare, qu'elle attribue des voix et des visages. Dans son journal, elle gribouilla de possibles explications.

À la fin du XIXe siècle, le capitaine d'un vapeur à aubes — un Irlandais, veuf, basé à Wenworth — fit le vœu de tuer sa fille !

Cet homme était très demandé dans le commerce fluvial. Il était étrangement doué pour naviguer sur la Darling jusque très tard dans l'été. Tout le monde avait l'habitude de le voir à la barre, pas souriant, sa fille à ses côtés, souriante, qui saluait de la main. Un jour, on remarqua qu'elle n'était plus là. Presque au même moment, ses activités ralentirent et il prit la mauvaise habitude de s'échouer, une fois même avec une cargaison de balles de laine. Il continua à naviguer sur la Darling, perturbé non pas par la réduction du nombre de ses missions, mais par des soupçons quant au comportement de sa fille, des soupçons perpétuellement attisés par le spectacle à Wenworth de la Darling qui se jetait dans le Murray, plus puissant, pour ne plus faire qu'un avec lui. À moins qu'il ne se fût trompé, le physique de sa fille s'était subtilement modifié.

Comme de juste, ses soupçons étaient fondés. Alors qu'elle n'avait pas vingt ans, sa fille fréquentait le fils d'un gros éleveur de moutons de la région. Toute la ville était au courant. Elle était tombée enceinte. Le couple s'enfuit la veille de son retour de voyage hebdomadaire sur la rivière. Il se lança à leur poursuite. Il n'envisageait même pas de la ramener.

Des années plus tard, et désormais affublé d'une grosse moustache rousse, il retrouva sa trace à Naples, chez les camaldules, un ordre contemplatif porté sur le silence, le jeûne et le travail manuel.

On le dirigea vers une forte femme qui était en train de biner. Le pauvre homme, qui avait traversé le monde entier, se frotta les yeux. C'était son habillement fruste et son air placide ; elle donnait l'impression de sortir d'un rêve. L'enfant, en elle, avait disparu.

Il se mit à la questionner.

Ce qui se passa alors est presque trop fugace pour être rapporté. Sous le coup de la colère ou du soulagement ou pour lui tirer une parole — personne ne sait —, il l'attrapa par les épaules. Ils luttèrent dans le jardin, firent voler de la poussière ; vacillants, et engagés dans un véritable corps à corps, d'après ce qui revint aux oreilles d'Ellen.

C'est à ce moment-là, *d'après l'histoire,* qu'une graine de gommier rouge, en dormance dans le revers du pantalon de l'homme de la rivière, tomba par terre.

Il se pourrait même — en fait, il semblerait que ce soit la seule explication — que cette lutte rituelle entre le père et la fille ait soulevé la terre en cet endroit précis et projeté la graine dans le sol stérile. Car c'est peu après son départ, tremblant et épuisé, qu'une pousse verte apparut.

La fille s'en occupa jusqu'à ce qu'elle fût devenue un jeune plant vigoureux ; et elle vécut dans l'ordre des camaldules suffisamment longtemps pour le voir se transformer en arbre, puis en gommier rouge de rivière adulte, spécimen d'une généreuse circonférence, qui dominait le jardin et dont les racines assoiffées fissuraient les murs et asséchaient les carrés de légumes ; cet arbre-là bordait, des heures durant, la rivière Darling, qu'elle devait ne jamais revoir.

15

Planchoniana

Ellen restait à la maison. À neuf heures et demie environ, elle préparait du thé pour son père et M. Cave, l'un ayant les ongles sales, l'autre propres, et une fois qu'ils s'étaient mis en route et que leurs voix, émaillées de noms latinisés, de noms de lieux et d'occasionnels surnoms, avaient lanterné dans l'air avant de s'éteindre, un grand silence s'abattait sur la terre et la ferme ; il envahissait les cavités et le moindre recoin de chaque pièce ; il n'y a assurément pas que l'eau pour chercher l'étale.

En regagnant alors sa chambre, Ellen avait des tas de choses à noter ou à débattre dans son journal. C'était là qu'elle revenait sur sa rencontre avec l'homme endormi. Il faisait chaud durant ces journées où elle étudiait sa nudité dans le miroir. Et elle se laissait emporter vers l'est, vers Sydney et sa lisière — foules, éclat blanc, le bleu vert. À Sydney, elle pouvait se fondre simplement au milieu d'une multitude d'autres gens, d'autres femmes, s'associer à un constant mouvement de chevauchement glissant, se joindre à eux (sans forcément connaître qui que ce soit). Plus tard, dans la matinée, il y avait du ménage à faire ; en allant et venant, en s'activant, elle donnait libre cours à ses pensées. C'était ainsi, conformément à une lente combinaison, qu'elle passait ses journées.

Elle était en train de repriser les chaussettes de son père dans la pièce de devant quand l'aiguille lui piqua le petit doigt. Elle rejeta la tête en arrière comme un cheval irrité.

Elle goûta le sang, puis enroula son mouchoir autour de son doigt. Elle ne tarda pas à changer de pansement improvisé. Son doigt n'arrêtait pas de saigner.

M. Cave se planta devant elle — ces plis, la chaleur de son corps. Il avait donc remporté une nouvelle victoire sur le terrain.

Il lui tendit un calice de gommier.

« Pour vous, dit-il, je l'ai ramassé en descendant. Ça fait un dé idéal. »

Ellen sourit. C'était la première fois qu'il s'était décidé à la regarder. Tête baissée, elle essaya le calice de gommier. Il lui allait.

« C'est ce que je pensais », déclara-t-il.

Les gros faisaient les meilleurs danseurs, s'était-elle laissé dire. Très gentiment, il déroula le mouchoir.

« Avez-vous de la mélasse dans la cuisine ? Plongez votre doigt dedans. Ça vous brûlera terriblement, mais ça arrêtera le saignement. C'est une astuce que ma mère avait apprise. Elle était de la campagne. »

De l'autre pièce, son père lui cria quelque chose.

« Votre père veut me montrer quelque chose. »

Tout en glissant machinalement le calice de gommier sur son doigt endolori, Ellen se rendit compte que le soudain rapprochement de M. Cave témoignait de son côté pratique. Il savait qu'il allait la gagner ; à tout moment, désormais. Il ne pouvait guère l'emmener à froid, si l'on peut dire. Entre-temps, le saignement s'était arrêté. C'était le calice de gommier. Ellen eut envie de le dire à M. Cave. À l'époque, elle n'était que trop prompte à donner du sens à des événements fortuits.

« En tout cas, fit-il en souriant virtuellement, demandez à votre père le petit nom vulgaire de *planchoniana.* »

16

Approximans

Il existe des histoires (cela a été expliqué) qui reposent sur des moyens tellement minces que c'est un miracle si on peut les qualifier d'histoires. Ce sont celles qui sont expédiées en une ligne ou deux : fragmentaires, sans conclusion, trop factuelles. Ce sont des histoires approximatives ou des histoires potentielles. On dirait plutôt des additions. Une telle brièveté va à l'encontre de la loi d'airain proposée par le célèbre colosse allemand : « Toutes les bonnes histoires sont des histoires qui durent. »

Cependant, il est indéniable que la plus brève des anecdotes (ici, nous ne parlerons pas « d'histoire ») peut produire un écho doté d'un pouvoir curieux, indélébile. C'est pour une raison analogue, ne l'oublions pas, que les artistes accordent une grande valeur aux dessins et aux croquis.

À Rangoon, après la guerre, un hôtel autrefois prestigieux, encore ouvert à ce jour, avait un piano Beale dans sa salle à manger. Le Beale est un piano de facture australienne. Il a un *couvercle en eucalyptus*. Et dans le vacarme et les murmures de la salle à manger, sous le ronronnement des ventilateurs de plafond ou probablement parce que c'était de toute façon une coutume de cabaret, le couvercle du piano était toujours soulevé. Il importait peu que le Beale, fabriqué à Sydney, eût généralement été désaccordé.

Les femmes des planteurs, les négociants, les hauts fonctionnaires aimaient s'habiller et, dans l'humidité formidable, danser sur des valses et des fox-trot exécutés sur le Beale, avec un ou deux violons pour accompagner. Piano, violons et humidité : infinie mélancolie.

Le flot de notes libérées de dessous le couvercle en eucalyptus du Beale avait dû produire un écho secondaire plus durable entre un nombre de couples relativement important — complications, opportunités nettes ; tant d'histoires différentes avaient dû fleurir autour d'individus donnés et planer comme des notes de musique, grâce au Beale au couvercle soulevé. Le piano solitaire de Rangoon ou le couvercle lui-même avait dû devenir la source ou l'élément central d'une ou de plusieurs histoires. « Si vous voyez ce que je veux dire », déclara-t-il.

17

Imlayensis

Le plus rare peut-être de tous les eucalyptus, le mallee du mont Imlay, a été vu par — grossière estimation — quelques douzaines de chanceux. Dix-sept plants seulement sont censés exister, tous dans la petite zone encastrée dans les rochers près du sommet du mont Imlay, sur la lointaine côte méridionale de la Nouvelle-Galles du Sud. Les jeunes fûts sont verts, couleur de libellule ou de perroquet, puis virent au brun orangé ou au gris en vieillissant.

La manière dont Holland réussit à se procurer un jeune plant demeure un mystère. L'univers des eucalyptus peut déployer de féroces côtés protecteurs ; les histoires d'ignorance et de trahison se répandent comme des feux de brousse et sont tout aussi difficiles à étouffer. Les spécialistes de ce domaine ne savaient jamais trop comment situer Holland. Il n'était pas vraiment des leurs. Pourtant, il était difficile de ne pas respecter sa ténacité.

Plus impressionnante encore était la manière dont il avait réussi à faire pousser sur sa propriété, si loin à l'intérieur des terres, un mallee du mont Imlay.

De la tour, Ellen regarda les deux silhouettes éloignées qui traversaient laborieusement un terrain comme si elles luttaient contre un vent contraire. Par moments, un arbre les masquait. Elles se dirigeaient, telles des corneilles, vers un affleurement de quartzite à l'extrémité sud de la propriété où le plus rare des eucalyptus avait pris racine ; elle le savait parce que son père lui avait fait un clin d'œil au petit déjeuner et qu'il lui avait adressé un vague signe de tête. Mais la rareté même du mallee du mont Imlay lui conférait un aspect si singulier qu'il serait facile de l'identifier, du moins pour quelqu'un de la trempe de M. Cave.

Ellen baissa les yeux quand les silhouettes eurent disparu. De toute façon, elle n'aurait pas pu continuer à regarder. Chaque arbre vers lequel M. Cave se dirigeait le rapprochait un peu plus d'elle. Vu ainsi, son père ressemblait à une sorte de placeur. Il la poussait à partir ailleurs. Dans la tour, il faisait chaud. Ellen reporta son attention sur ses orteils et, tout en étudiant son genou, repensa aux autres soupirants, à leur voix, à leur visage plein d'espoir. Durant une heure ou deux, elle parut fixer son genou. Cela faisait plusieurs jours qu'elle n'avait pas rencontré l'homme endormi. Pour le moment, ce n'était pas à ses cheveux qu'elle pensait, mais à son comportement qui la plongeait dans la perplexité. La soudaineté de tout cela était presque irritante, gribouilla-t-elle dans son journal.

Quand elle releva la tête et qu'elle regarda de l'autre côté du terrain ponctué d'arbres — dans la direction opposée à M. Cave et à son père —, elle aperçut vaguement près d'un groupe d'arbres plus dense une silhouette solitaire qui se déplaçait.

Une telle vision était rare dans leur propriété. On aurait dit que c'était lui, l'homme de taille moyenne qu'elle avait découvert, endormi par terre. Elle descendit précipitamment les marches étroites, déboucha dans la lumière crue et, d'un pas tranquille mais décidé, atteignit l'endroit où il avait dû se trouver.

Aucune trace de lui, juste des eucalyptus ici et là qui, du fait de son énervement, lui parurent identiques. Pour Ellen, sa vie ressemblait à ça. Assurée comme elle l'était par son père, elle offrait une abondance facile, ainsi que l'illustraient les arbres, et un casse-tête pas résolu au milieu.

Quant au chemisier vert qu'elle ne portait normalement qu'en des occasions spéciales, il ajoutait une sorte d'impatience à sa beauté mouchetée.

18

Foecunda

Après de nombreuses aventures au hasard de nombreuses routes — de nombreuses villes et de nombreuses forêts — il était arrivé fatigué dans la propriété de Holland, au début de l'été. Il avait l'esprit vif et était difficile à déchiffrer ; il était indifférent à des foules de choses. La maladie lui avait mis du plomb dans la tête. Sinon, il aurait pu paraître irresponsable.

Quant à Ellen, au lieu de retourner tôt le matin vers le grand terrain au loin, elle s'enfonça entre les troncs plus sombres près de la rivière, en vue de la route.

C'était une façon de se laisser aller ; presque comme une partie de pêche.

Il y avait à peine une minute qu'elle s'était arrêtée près de l'eau dormante à côté du pont quand quelqu'un la siffla. Au lieu d'un rejet hostile, comme en ville, elle se tourna.

« Oh, vous êtes encore ici... je croyais que vous aviez quitté la région.

— La région », répéta-t-il.

Il se tenait plus ou moins en face d'elle.

« À part ça, qu'est-ce que vous faites ici ?

— Je m'occupe de mon père.

— Il a besoin qu'on s'occupe de lui ?

— Sans doute que non.

— J'imagine que c'est parfois difficile à savoir. »

Il avait les bras croisés, mais pas sévèrement.

« C'est mon père, eut-elle envie de dire. Et vous ne le connaissez pas. »

« Un bout de pomme ? »

La perspective séduisante de partager de la nourriture

et l'attrait d'une forme sphérique nette où il est facile de voir la quantité prélevée sont irrésistibles. Ellen tendit la main et, ce faisant, sa manche glissa et dénuda son bras.

« J'ai vu quelqu'un qui vous ressemblait, hier, de la maison. »

Mais il avait pris une bouchée virile et se contenta d'acquiescer. De l'avis d'Ellen, ses mâchoires travaillaient comme celles d'un cheval. Cela étant, ils s'aventurèrent entre les différents arbres pour gagner le bout du terrain tout en longueur.

« Combien d'eucalyptus pensez-vous qu'il y ait ici ?

— Je crois que mon père ne le sait plus. Il les a tous notés.

— Il y en a manifestement des centaines. »

Ils arrivèrent devant un déchaînement d'arbustes de forme imprécise que l'on rencontre généralement dans une bande de sable tout en bas de l'Australie.

« De ce côté-là, dit Ellen en se tournant vers la maison. Je crois que c'était vous... de ce côté-là.

— De tous les eucalyptus, lcs mallees me laissent froid. Ils ne sont jamais fichus de décider dans quelle direction ils vont pousser. »

Il lui lança un coup d'œil espiègle et complice qu'elle ne put, à ce stade, accepter.

« Les mallees ne vous laissent-ils pas froide ? Est-ce que vous ne préférez pas un bon vieux gommier solide, du genre, poursuivit-il d'un ton plein d'espoir, qu'on voit sur les calendriers ?

— Il n'y en a pas un qui m'intéresse ! »

De l'avis d'Ellen, il n'y avait pas de sujet plus inintéressant. Les seules personnes qui venaient à la propriété étaient des hommes qui espéraient plaire à son père et qui tous arboraient leur ridicule savoir circonstancié sur les arbres. Le mot même d'*eucalyptus,* dont beaucoup jurent que c'est le plus charmant de tous les mots, était pour Ellen un mot insupportable, synonyme de problèmes. À son sens, quiconque entrait dans l'univers des eucalyptus en ressortait borné et diminué. D'ailleurs, ce type, planté à côté d'elle, qui était en train d'arracher une feuille, faisait sûrement partie du lot. Il ne donna pas précisément le nom de l'espèce, le mallee à feuilles étroites (*E. foecunda*), mais semblait le connaître, car il y jeta un coup d'œil et s'éclaircit la gorge.

« Il y avait un Italien, dit-il, qui tenait une boutique de fruits à Carlton.

« Cet homme, poursuivit-il, fut le premier à Melbourne à se baptiser FRUITOLOGUE — si d'aventure vous vous êtes demandé d'où ça venait — et à faire peindre cette inscription en lettres vertes sur la façade de son magasin. Ses fruits étaient de la meilleure qualité qui soit. Il vivait au-dessus de la boutique. Ses deux parents étaient morts. C'était un bossu. Pas un bossu grave, mais assez pour que cela lui tire légèrement un côté de la bouche vers le bas. Tout le monde l'appréciait. Il faisait bien attention à écouter les femmes. Du coup, elles refusaient que l'on dise un seul mot contre lui, et encore moins contre ses fruits, même si elles remuaient aussi la tête et éclataient de rire devant toute proposition de mariage.

« Son magasin de Carlton était célèbre pour ses étalages de fruits. Il les réalisait avec beaucoup de patience et de talent tous les dimanches derrière son rideau métallique. Il pouvait choisir parmi des tas de couleurs et de formes.

« Les classiques pyramides de pommes et autres, il les rejetait comme trop banales. À la place, il dressait des cartes détaillées de l'Italie, en utilisant des poivrons jaunes et verts, ou de l'État du Queensland pour exalter la saison des mangues. Des drapeaux nationaux, le football bien sûr, des pendules et un cycliste furent au nombre de ses sujets les plus mémorables. Comme sa dextérité se développait, il se mit à la sculpture à base de fruits : il y avait, parmi ces dernières, des scènes de la nativité ; un Ayers Rock en pommes de Tasmanie ; des tableaux à base de cantaloups, d'anones et d'ananas pour dénoncer la guerre.

« C'était son violon d'Ingres, mais il s'avéra également bénéfique pour les affaires. Les gens demandaient : “Alors, qu'est-ce que vous nous avez inventé cette semaine ?”

« Au départ, le soin et l'attention que le bossu prodiguait à ses étalages de fruits frais avaient constitué un moyen relativement modeste de parer à cette curieuse atmosphère de désolation “qui envahit les villes anglo-saxonnes le dimanche”. En même temps, les clients ou les gens qui passaient sur le trottoir en retiraient du plaisir. Peu à peu, les étalages se firent plus ambitieux et plus complexes, exigèrent de sa part encore plus de patience, d'ingéniosité et de résistance — pour ne citer que quelques-unes des qualités requises. Si, au magasin, le bossu continuait à servir avec sa sempiternelle discrétion, les sculptures à base de fruits se firent plus outrancières.

« Une jeune femme travaillait dans la pâtisserie voisine. À l'occasion, elle entrait dans la boutique du bossu — pour acheter une grappe de raisin ou autre chose. À chaque fois qu'elle passait, il interrompait ce qu'il était en train de faire pour la regarder. Pas une seule fois elle ne lança ne serait-ce qu'un coup d'œil en direction du bossu ou ne lui adressa un signe montrant qu'elle le reconnaissait, quand bien même il était planté en tablier sur le trottoir.

« Un jour, il lui offrit du raisin ; c'est tout juste si elle le remercia. Et, cela va sans dire, elle ne s'intéressait absolument pas à ses étalages qui, par conséquent, devinrent de plus en plus ambitieux.

« Cela étant, cette jeune femme avait d'extraordinaires yeux bleus qui rappelaient davantage ceux d'un chat persan (version distillée du bleu trouble des montagnes à l'ouest de Sydney). Plus extraordinaire encore, mais peut-être était-ce lié à la couleur de ses prunelles, était la façon dont, à chaque occasion, elle se regardait — non seulement dans des miroirs, mais dans des fenêtres, des portes, des capots de voiture, des flaques d'eau. Peu importait qu'elle fût en train de marcher ou de bavarder avec quelqu'un. À chaque fois qu'elle le pouvait, elle essayait de s'apercevoir. Souvent, en remarquant son reflet, elle en profitait pour rajuster une mèche de cheveux ou un vêtement. C'était plus fort qu'elle. C'était de l'égocentrisme transmué en tic.

— Était-elle mignonne ou belle ? Ellen s'interrogeait sur les yeux bleus.

— Mignonne ou belle, ça n'avait pas vraiment d'importance. Elle avait de longs cheveux tout raides et un visage légèrement vide d'expression. Le pauvre bossu en arriva à être complètement obsédé par elle. Si elle devenait sienne, rien ne manquerait plus à sa vie.

« À chaque fois qu'il avait un moment de disponible — même quand il servait des clients —, il réfléchissait aux moyens d'attirer son attention.

« Il s'assit et établit une liste. Il étudia soigneusement les couleurs. Il calcula les quantités. Il passa des commandes spéciales afin d'avoir des fruits exotiques. Au marché, il sélectionna personnellement chaque article et le soupesa à la main, en prenant garde à la forme comme à l'uniformité des couleurs.

« Tout le dimanche, il travailla derrière la devanture fermée de la boutique. Au matin, il y était encore, s'appliquait à mettre la dernière touche. Il ressemblait à un de ces graves oiseaux de Nouvelle-Guinée qui s'affairent afin de récupérer pour leur nid capsules, bouchons de bouteille et bouts de verre dans l'espoir d'attirer la femelle.

« Les habituels badauds et des clients matinaux étaient rassemblés là quand, tel un politicien dévoilant un bronze, il remonta le rideau : un murmure d'admiration bruissa parmi eux.

« Il avait passé la première épreuve.

« À présent, il n'avait plus qu'à attendre.

« Certains touristes prirent des photographies ; des enfants sautèrent et le montrèrent du doigt. Un client, professeur d'histoire à l'université voisine, entreprit de le féliciter :

« "Un chef-d'œuvre. Et je ne suis pas du genre à utiliser ce terme à la légère..."

« À ce moment-là, elle apparut, en talons hauts. Il abandonna un client en plein milieu d'une phrase et se dirigea vers le devant de la boutique.

« En retard pour son travail, elle se dépêchait, mais réussissait tout de même à jeter des coups d'œil à droite et à gauche à la recherche de surfaces réfléchissantes. Et pourtant — vous vous rendez compte ? —, elle passa tout droit devant sa devanture sans rien remarquer de spécial. Il traînassa afin de tuer le temps. En milieu de matinée, elle repassa de nouveau sans rien voir ; de même à l'heure du déjeuner ; et elle repartait chez elle quand son attention fut attirée non par sa sculpture à base de fruits, mais par le rétroviseur de son camion garé là.

« Elle était là, encadrée par la vitrine, la tête sur des épaules nues, mosaïque arcimboldienne extraordinairement fidèle ; son teint crème et pêches ; dattes et lamelles de pomme pour le nez ; front en papaye ; menton en banane ; dents scintillantes en grenade ; kiwis pour les sourcils, lèvres en prunes juteuses ; goyaves pour les oreilles ; poires en guise d'épaules ; et autres petits éléments trop subtils pour être immédiatement reconnus, mais qui contribuaient à l'ensemble. Avec un sillon sur le front et la mise en place délicate de nectarines et de figues, il avait même restitué son égocentrisme.

« Tout était là, avec une tendre exactitude — à l'exception des yeux. Il avait été dans l'impossibilité de trouver un fruit bleu clair. Sans les yeux, apparemment, elle ne pouvait pas se voir. »

Et il frôla accidentellement Ellen quand il tendit le bras pour appuyer la paume de sa main contre un splendide tronc lisse qui se trouvait être un gommier bleu du Sud (*E. bicostata*).

19

Sideroxylon

Pourquoi fallait-il que l'épicier fou d'amour soit bossu ? Comme s'il n'avait pas assez de problèmes, lui qui vivait tout seul au-dessus de la boutique, *et cetera.*

Ce n'était qu'une histoire. Elle est nécessaire au déroulement de l'histoire.

Il n'aurait jamais dû se baptiser « fruitologue » — c'était mauvais signe, de l'avis d'Ellen.

Quand l'inconnu avait laissé son histoire en plan, elle avait éprouvé un brusque mouvement d'impatience devant son indifférence à ses questions, telles que : « Est-ce qu'elle a fini par s'arrêter devant le magasin et se reconnaître ? Et alors ? Est-ce que personne n'aurait pu la prévenir ? Et ses chaussures ? Quelle sorte de chaussures est-ce qu'elle portait ? »

À la place, il approcha de l'arbre suivant, un eucalyptus trapu à l'air *mauvais* qui parut lui rappeler une autre histoire, totalement différente. Ellen scruta son visage. Est-ce qu'il inventait à mesure qu'il avançait ?

L'arbre était un mugga à écorce de fer (*E. sideroxylon*).

« Ça, ce n'est pas une histoire gaie.

« Dans l'un des innombrables culs-de-sac de Canberra vivaient un fonctionnaire à la retraite et sa femme. Au cours des dernières dix-sept années, ils ne s'étaient parlé que par l'intermédiaire de leur chien — un kelpie qui se déplaçait au ralenti.

« “Est-ce que cette vieille bique va se bouger les fesses et faire du thé ?

« — Il peut se le faire tout seul, moi, ça fait des années que je sers de bonniche à ce salopard.” »

Ellen éclata de rire.

« Cette histoire n'est pas censée être gaie !

« Au cours de sa vie professionnelle, cet homme avait grimpé les nombreux échelons du service public jusqu'au jour où il s'était retrouvé responsable de tous les poids et mesures en Australie. C'était une carrière qui lui avait procuré une certaine satisfaction. Après tout, elle avait démontré qu'une chose en suit inévitablement une autre : le fait de tomber à bras raccourcis sur des unités de poids et mesures qui laissaient à désirer avait provoqué une ascension correspondante dans sa carrière. Ce qui avait ensuite entraîné un niveau de précision et de déception élevé dans sa vie privée.

« “J'ai laissé un toast pour lui sur la table, j'espère qu'il va refroidir.

« — Toujours avec le vieux peignoir, pas vrai ? On pourrait imaginer qu'elle se regarde dans la glace."

« Chacun attendait impatiemment la mort de l'autre ; dans l'intervalle, chacun faisait l'impossible pour gagner le chien à sa cause, le caressait et lui donnait les meilleurs morceaux de son assiette, sans cesser de lui parler et de parler par son intermédiaire. Quand le kelpie se déplaça encore plus au ralenti, ils se mirent à se demander avec crainte comment ils pourraient bien communiquer entre eux si d'aventure la bête venait à mourir.

« La femme fut la première à partir. Occupé avec ses mots croisés, le mari ne remarqua rien de différent. Elle fut découverte par terre dans la chambre à l'heure du déjeuner ; l'homme avait entendu que le chien faisait un peu de bruit.

« De ce jour, le kelpie resta à côté de l'homme.

« La maison donnait l'impression d'être plus qu'à moitié vide.

« Tous les mardis et vendredis, il se rendait sur sa tombe avec, à sa remorque, le chien qui se déplaçait au ralenti, et se plaignait auprès d'elle de l'animal couché à ses pieds : ce qu'il faisait ; ce qu'il ne faisait pas ; ses saletés dans la buanderie ; ses puces ; comment il ne réagissait plus à son sifflet.

« Puis, quelques mois plus tard, résultat qu'on ne pourrait décrire que comme le pire de tout ce qui pouvait se produire, l'homme se réveilla un matin et s'aperçut que le chien peu contrariant était mort lui aussi. »

Entendu, c'était une histoire pas gaie. Ellen eut envie de le lui dire et de lui demander, en même temps, s'il aimait les chiens. Elle avait soudain des tas de questions ; mais il était passé à un autre arbre, apparemment au hasard, un gommier gris (*E. punctata*) appelé veste de cuir à cause de son écorce, et avait entamé avec aisance une histoire virtuellement identique — à l'exception d'une différence cruciale.

La voici : un cordonnier de Leichhardt (il faudrait que je vous dise qu'il s'agit d'une banlieue de Sydney truffée de poteaux télégraphiques, de fils télégraphiques et de téléphones rouges) se rend tous les soirs sur la tombe de sa femme, en oubliant souvent d'ôter son tablier de cuir, et lui raconte les nouvelles de la journée en lui demandant conseil : « Les talons de Mme Cudlipp ont encore lâché, ceux de ces fichus souliers verts. Elle ferait bien de perdre du poids. J'ai oublié d'arroser les fleurs. On va encore manquer de lacets. Tu vois la fille Farini, celle que son petit ami balade en moto ? Il s'est ramassé une pelle et a déchiré son blouson de cuir. Je lui ai dit : « Moi, je ne fais que les souliers. » J'ai jeté un coup d'œil dessus, je peux le rapiécer. Qu'est-ce que je lui réclame ? Comme d'habitude ? Le postier, Reg, il est revenu. Bien entendu, ses fers n'arrêtent pas de tomber. Je lui ai dit mille fois, du caoutchouc, passe au caoutchouc, comme tu disais toujours. Mais il est de la vieille école. Il a ses habitudes ! Il y a deux femmes qui sont invitées au même mariage, tu les connais. Ma mémoire fiche le camp. Talons hauts, toutes les deux, brides renforcées. Celle qui a une voix forte, tu disais que sa mère était sourde. Il y a un bonhomme qui est venu faire de la monnaie pour un parcmètre. Est-ce que je t'ai dit que le bail va jusqu'au mois de novembre ? Oui, je te l'ai dit. Il va falloir qu'on y réfléchisse, j'ai quelques idées. Il paraît qu'il va pleuvoir demain. »

Il voulait aussi savoir ce qu'il fallait qu'il fasse de toutes ses chaussures, des chaussures confortables avec des plis tendres qui s'alignaient au fond de leur penderie.

Cette histoire qui lui avait roulé des lèvres était censée constituer un antidote à celle sur le marasme d'un mariage, l'amère catastrophe canine, comme il l'appelait ; mais Ellen la trouva triste, beaucoup plus triste, presque trop triste pour y réfléchir. Tandis qu'elle méditait sur les points forts et les points faibles d'une longue vie commune, les arbres autour d'elle prirent un côté flou ; tout frisait le rêve. Ce sujet, bien sûr, était aussi vaste et varié qu'une forêt, et ses différents aspects se présentaient sous des angles et des nuances différents.

Elle lui jeta un coup d'œil en coulisse et se demanda à quoi il ressemblerait avec un blouson de cuir.

Pour l'égayer, il repéra un petit arbre du Queensland, un *E. beaninna,* et lui raconta d'un ton pensif que, peu de temps auparavant, il avait surpris une assez vieille femme à bord d'un ferry Nénette en train de confier à une femme qui aurait pu être sa fille : « Quel nom épouvantable pour un bateau ! Il va se traîner ça comme un boulet autour du cou. »

Il se tourna vers Ellen.

« Ha-ha, elle sourit.

« À propos de boulet, parlons donc de ce directeur des ventes d'une entreprise de céramique industrielle, à Sydney encore, qui, allez savoir pourquoi, se retrouvait toujours privé de toute autorité sur son lieu de travail.

« Il s'appelait Minus — Peter Minus.

« De toute évidence, quand quelqu'un demandait d'un ton jovial : "Ça va, Minus ?", c'était comme si on portait atteinte à l'honneur de cet homme, quoi qu'il en fût. Rien que la manie de son équipe de vendeurs innocents, qui entamaient la moindre communication par une formule du genre : "Minus a dit...", tendait à dénoter des aptitudes sujettes à caution. Dans le monde des céramiques industrielles où tout changeait tellement vite et où les marges étaient réduites, suggérer que quelqu'un pouvait être un "minus" avait un pouvoir de nuisance... malheureusement fatal. »

Ellen était encore en train de réfléchir à l'impact de la vie à deux, à l'histoire de ce pauvre cordonnier.

À dire vrai, les jeux de mots constituent invariablement un embarras — et pour rien. On y voit un moyen de passer à côté de la véritable essence des choses, une échappatoire qui ne mène personne nulle part. Ils ne sont néanmoins pas tellement parvenus à se tailler une place importante dans la taxinomie botanique traditionnelle, même lorsqu'il s'agit d'attribuer un nom à un eucalyptus.

« Vous savez comment je m'appelle ? demanda-t-elle.

— Bien sûr, mais ne me posez pas la question maintenant. »

Ils s'étaient arrêtés devant un autre eucalyptus, un éclatant spécimen de Melville Island, miraculeusement transplanté là, dont les fleurs rouge sombre se balançaient au-dessus d'un océan brun vert, châle du Cachemire sans les bordures fantaisies. Le voyant réfléchir sur pied, Ellen s'appuya contre le tronc et attendit.

« À partir de maintenant, je ne ferai plus un seul jeu de mots. Pas question, déclara-t-il, la main sur le cœur, rien d'artificiel. »

Pendant qu'ils allaient d'un arbre à l'autre et qu'il lui racontait d'autres choses, Ellen laissa les histoires l'encercler et la pénétrer peu à peu. Au fil du temps, la voix de l'inconnu s'était mise à vibrer d'une chaleur familière, à travers les arbres. Le son de sa voix lui plaisait. Dans la touffeur de la journée, elle eut envie de fermer les yeux. À la place, elle l'étudia tout en l'écoutant. Elle ne savait même pas comment il s'appelait. Et si quelqu'un le lui demandait ?

Quand vint l'heure pour Ellen de rentrer chez elle, cet homme lui avait raconté six ou sept — elle ne les avait pas comptées — histoires.

20

Desertorum

Oui oui oui oui : à Zurich, à Dublin, dans le garage d'un mécanicien à Paris, maintes histoires commencent et se terminent par ce mot particulièrement agréable, encore plus agréable à l'oreille, sinon à l'imagination, que *eucalyptus.* Et, oui, tous les hommes de la ville, et des femmes aussi, des mères d'abord et avant tout, avaient toujours avancé des « oui » à Holland avant même qu'il eût ouvert la bouche — à défaut du terme lui-même, ça se voyait à leur tête —, n'importe quoi pour ne pas froisser le possesseur avisé de tous ces hectares vallonnés, excellent terrain en bordure de rivière laissé à l'abandon, et sa très belle fille. Elle était assurément très belle, et devenait de jour en jour plus belle, œuf de pigeon moucheté qui laissait loin derrière tout ce qu'il y avait dans la région. Les hommes qui avaient énormément voyagé, comme ceux qui avaient fait la guerre, ainsi que tous les soupirants ou presque, ne se rappelaient pas avoir jamais vu femme plus belle, ni dans la grosse bourgade la plus proche ni de l'autre côté des montagnes, à Sydney. Le nouveau directeur de la banque en tôle ondulée fit savoir qu'il n'avait pas vu de beauté qui la surpassât dans toute l'agglomération de Londres où il avait séjourné trois semaines après la guerre.

Et le paysage avait, lui aussi, une beauté mouchetée qui, de partout, s'insinuait géologiquement et pour longtemps. Holland était satisfait de son aspect stable — ses doux vallonnements, l'usure qui s'apparentait à de simples égratignures superficielles. Et les arbres, les arbres. Au total, il avait fallu à Holland bien des années pour accepter la pâle force de la terre. Elle s'était infiltrée dans son corps, pour ainsi dire, s'y était fixée et y était restée. Du coup, il avait tout oublié sur la question — le côté cadeau, avantage naturel, ce qui mérite d'être envié.

Les pensées d'Ellen, en revanche, retournaient souvent vers Sydney, l'école et ses ferventes amies, ou bien vers un coin de rue quelconque : fondements bricolés de toutes pièces. Il y avait toujours une digue et les puissantes eaux salcs ct scintillantcs du port, et les artères de la ville, ses boutiques et ses foules filant dans des directions différentes. Fréquemment, alors qu'elle se trouvait sur l'un des terrains, Ellen s'imaginait ailleurs ; comment diable était-ce possible ? Cet état de fait se voyait façonné par son journal et par le cours de ses pensées quand, de la tour, elles dérivaient vers la poussière chaude entre les arbres ou quand c'était elle-même qui se laissait dériver dans le courant chaud de la rivière — forme de double dérive. Ellen parvenait à se dégager sans rudcssc du droit de propriété des arbres et de son père adoré.

Superposé au paysage, il y a l'art. Quelle entreprise mouvementée, apparemment essentielle !

L'art est imparfait, à l'inverse de la nature qui est « parfaite » sans faire le moindre effort. Vouloir reproduire ou même transmettre tel aspect de la nature par le biais de la main est à jamais voué à l'échec. Et, pourtant, c'est dans la reconnaissance de cette tentative que se situe l'étrange pouvoir de l'art.

L'artiste, oui, humanise le côté merveilleux de la nature en en donnant une transcription fautive ; et c'est ainsi qu'on nous rapproche de la nature — paysage, silhouettes —, laquelle se voit vaguement mise à notre portée. Prenez les versions humaines des nénuphars, la montagne à la sortie d'Aix, la terre plate et jaune du

Wimmera ; les tournesols, les baigneuses aussi, sans parler du chêne avec le chien qui surgit en courant sur la droite, chêne qui représente, on le présume, tous les arbres sur terre. Les traces de pinceau, les insectes collés dans la peinture, les empreintes de pouce, la *signature* et le reste témoignent de l'effort humain. Quand il n'y a rien de tout cela, comme c'est le cas pour la photographie, le résultat demeure parallèle à la nature, opportuniste.

Sinon, un paysage donné, tel que celui de Holland, continue à réclamer à cor et à cri une traduction en termes humains.

Holland comme M. Cave n'avaient guère de temps à consacrer aux miroirs. S'il ne leur avait pas fallu se raser, ils n'en auraient probablement pas eu un seul chez eux, ou même ailleurs. C'était aussi pour cette raison — s'il y a la moindre logique poétique sur terre — qu'ils étaient gênés par le fait de donner ou de recevoir.

Au matin du neuvième jour, M. Cave contourna ces sentiments difficiles en faisant glisser un sac en papier kraft sur la table, toute explication devenant par là même inutile. Holland répondit à ce geste en le surignorant, en prenant tout son temps pour terminer sa tasse de thé. Ellen faillit les plaindre. En fin de compte, Holland s'aménagea quelques secondes pour incliner ledit sac : il en sortit l'édition qui faisait autorité sur un sujet banal, *La Poussière* de S. Cyril Blacktin (Chapman & Hall, 1934).

« C'est mon anniversaire, expliqua M. Cave. Je me sens généreux.

— Bon anniversaire, répondit Holland en tournant quelques pages. Où sont les illustrations ?

— Tu vas le lire ? s'écria sa fille.

— Qui sait ? »

Il l'ajouta à son étagère d'anthographies et de guides

pratiques, aux piles de *Illustrated London News* et de *Walkabout*. Il y avait un exemplaire corné du classique de Kaleski, *Aboyeurs et mordeurs d'Australie*, et de grands livres au dos en suède qu'il n'avait jamais ouverts.

Au lieu de les mettre de bonne humeur, le cadeau inopiné les plongea dans un mutisme surprenant, Ellen y compris. Il leur avait rappelé à tous que l'épreuve touchait à sa fin.

M Cave voyait les choses sous des couleurs différentes ; pour lui, il allait revenir en terrain connu.

« Racines superficielles, l'entendit déclarer Ellen. Elles n'ont pas eu le temps de s'implanter ici. Et le sol, il est léger, ce sol. Moi, je dirais que ça ne fait pas assez longtemps qu'on est là, on ne descend pas profond. Je pense souvent à ça. Dans ma famille, il y a des ratés. Vous connaissez ce genre de chose : des ivrognes, des zéros pointés, il y en a un paquet comme ça. Mes ancêtres sont venus, oui, et, nous, on a continué et on a grandi, mais c'cst à peu près tout. Rien de plus...

— Moi, à votre place, je ne perdrais pas le sommeil pour ça », déclara Holland.

Dès qu'ils eurent disparu, Ellen décida de « se perdre », si tant est que ce fût possible, non dans les formations rectilignes en bordure de rivière, mais dans les bosquets de mallees échevelés en contrebas de la maison, de l'autre côté du brise-vent. Sous le coup d'un caprice agréable, elle avait enfilé les chaussures rouge pâle à talons assez hauts qu'elle avait achetées à Sydney. Elles étaient conçues pour parcourir de courtes distances sur tapis, guère plus. Ellen ne les avait mises que dans sa chambre. À présent, sur la terre craquelée entre les arbres, la jeune fille contournait une gigantesque fourmilière et, tout en chancelant légèrement, s'amusait à battre des coudes tandis que ses talons pointus ne cessaient de transpercer les monceaux d'écorce. À vrai dire, le côté malcommode des petites chaussures lui plaisait : il attirait ses pensées vers ses chevilles où, allez savoir pourquoi, se focalisaient alors ses sentiments coutumiers — elle se sentait à la fois libre et d'une vulnérabilité spectaculaire.

Elle était encore en train de laisser son corps balancer et tanguer, parce qu'elle arrivait à se voir en imagination, quand elle l'aperçut.

« Vous m'observiez », protesta-t-elle.

Elle enleva ses chaussures et les glissa sous son bras.

« Ce n'est pas vrai ?

— Remettez-les », dit-il.

Il fixait les sandales d'un air renfrogné.

Mais ç'aurait été s'exposer devant lui ; et il aurait tendu le bras pour l'aider à garder son équilibre, au moins avec ses yeux. Pourquoi était-il là ? Elle se le demandait. Il n'avait rien d'un soupirant, pas vraiment. Où qu'elle aille, il apparaissait, à côté d'un arbre.

Il avait dû l'observer.

Il hocha la tête.

« Pas nécessairement, lança-t-il.

— Vous allez bien ? »

Il était pâle.

N'importe lequel des soupirants ayant subi un examen préalable de la part de son père aurait déjà bredouillé, l'air coincé, le nom de l'arbre sous lequel il s'était à présent accroupi, un mallee à crochets (*E. desertorum*).

Il resta un moment sans rien dire.

« J'ai une suggestion. »

De la main, il aplanit un coin de terre à côté de lui.

« Soulagez donc vos pieds. »

En baissant les yeux, Ellen voyait un bout de son cou.

« Mais ça m'est égal si vous restez debout. Ce que je

peux vous dire, c'est... c'est une déclaration brute que j'ai entendue un jour. Posez au moins vos chaussures par terre ou donnez-les-moi ! Au Liban, en bordure du désert, il y a un endroit qui s'appelle la Vallée des Saints. Là, à ce qu'il paraît, vivaient trois saints hommes qui faisaient des miracles.

« Ah, elle s'assied. C'est bien.

« Le premier saint homme guérissait des problèmes tels que des rhumatismes ; le deuxième, affirmait-on, ressuscitait des morts ; et le troisième, celui qui nous intéresse ici, avait à plusieurs reprises donné des enfants à des femmes stériles. Il recevait plus de visites que les deux autres réunis.

« Les déserts, poursuivit-il comme s'il avait passé beaucoup de temps à les sillonner, sont des lieux d'une *propreté* surnaturelle. À ce qu'on dit, ils génèrent de la clarté chez les gens. »

Ellen se fit la réflexion que, s'il avait erré dans des contrées lointaines avant de se retrouver dans la propriété, il lui plairait encore plus. Sa façon de se comporter, ce qu'il disait et même son physique suscitaient son intérêt ; et, pourtant, elle ne savait pas trop. Comme toujours, il était à la fois proche et lointain. Il présumait que ses histoires l'intéresseraient. Plusieurs fois, en jetant un coup d'œil sur lui, elle le vit détourner les yeux.

Il continua son récit.

« Une femme accomplit le long voyage à travers le désert pour aller voir le saint homme. Elle désirait un enfant par-dessus tout, mais n'avait pas pu en avoir. Elle était pauvre. Pour économiser le cuir, elle chemina pieds nus, ses souliers à la main. Et, dans l'année qui suivit son retour, elle eut un fils. Mais alors qu'elle refaisait le long voyage à pied avec son bébé pour que le saint homme le baptise, l'enfant mourut. Dans le désert, elle se rendit compte que ses membres se glaçaient dans ses bras. C'était au Liban. »

Dans le silence, Ellen fut assaillie par le panorama du désert, la silhouette esseulée, enveloppée dans son châle et réduite à traîner des pieds, qui s'en allait, implorant des réponses à ses questions. Elle se tourna vers lui. Il était là. Par terre, en appui sur les coudes, les genoux pliés, il fixait un autre arbre.

« Où avez-vous entendu celle-là ?

— C'est une histoire du désert. Je crois qu'il y en a beaucoup. Ce doit être une vieille histoire. »

Avant qu'elle ait pu demander : « Pourquoi me la raconter ? », il avait plissé les yeux comme le major Lawrence dans le film.

« Si je ne me trompe, reprenez-moi si je fais erreur... là, ce n'est pas ce qu'on appelle un mallee Boranup ? »

Et tandis que Ellen en était encore à imaginer la malheureuse femme aux bras vides, l'inconnu (qui n'était plus si inconnu que ça) s'offrit un instant de réflexion, puis recueillit sur l'arbre frêle au tronc gris rosé une autre histoire dans un autre désert. « Sur la piste, au sud de Darwin, dit-il, il y a un café motel avec des pompes à essence Shell. Il faisait très chaud, et je me rappelle encore l'étrange tension entre le Letton qui tenait l'endroit et la grosse bonne femme qui servait à manger, même au petit déjeuner, aux gens de passage. Elle portait un foulard noué sur le haut de la tête. Lui avait de petits yeux, un front lisse et des cheveux courts. Le Letton n'était pas plus tôt réveillé qu'il ouvrait une bouteille de bière et il passait la journée à boire. Dehors, il y avait une gigantesque montagne de bouteilles. J'ai vu des bus entiers de touristes faire la queue pour la prendre en photo. Il y avait des poulets et quelques chèvres attachées à de longues chaînes. Il y avait également un Russe blanc qui vivait derrière dans une caravane équipée d'un climatiseur. »

Il regarda Ellen et parut hocher la tête d'un air entendu.

« Le Russe blanc était en fait le mari de la femme, mais il avait été supplanté par le Letton, un homme plus jeune qui lui avait permis de rester dans la caravane où, à ce qu'on m'a raconté, il passait son temps à peindre des paysages enneigés sur des œufs d'émeu. Est-ce que j'ai dit qu'elle était grosse, désordonnée, et d'un caractère agréable ? Le Russe blanc était prêt à travailler pour rien au garage, juste pour être près d'elle. Il était prudent avec le Letton uniquement pour la protéger, elle qui était encore sa femme. Certains matins, elle arborait un visage enflé et meurtri. Je peux vous dire le nom du mari : Turczaninov.

« Cette petite colonie de deux hommes et d'une femme vivait au milieu de nulle part, entourée de tous côtés par de la terre rouge. Leur eau provenait d'un forage effectué un siècle plus tôt, tapissé d'écorce de fer. Un matin de février, le Letton se plaignit d'un abominable mal de tête. Le soir, il avait de la fièvre. Le lendemain, il n'arrivait plus à parler. Il se débattait sur son lit. Il transpirait à seaux. Il marmonnait des mots que même la femme, une Lettonne elle aussi, ne connaissait pas.

« La femme arrêta de servir les clients parce qu'elle s'efforçait de mettre de la glace sur le front du malade tandis que le Russe blanc restait dans sa caravane sans prendre la peine de faire le plein ou de remplacer les pare-brise cassés des voitures des gens de passage. Le troisième jour, l'homme sombra dans un très grand calme. La femme quitta son lit et alla tambouriner à la porte de la caravane. Au bout d'un moment, le Russe blanc sortit et suivit sa femme jusqu'à la pièce qui avait été leur chambre à coucher. Il lui dit de ne pas s'inquiéter, souleva l'homme de son lit de malade et, avec une expression résolue qui ne pouvait provenir que des steppes, l'emmena jusqu'au puits de forage.

« Il l'installa avec douceur dans le seau en métal et l'attacha soigneusement avec des cordes. Puis il le fit descendre tout en bas, jusqu'au bout de la chaîne, en le trempant dans l'eau froide. Par trois fois.

« Le malade ouvrit les yeux et, durant sa lente remontée, il passa sa vie en revue tandis que les planches d'écorce de fer régulièrement espacées et disposées à l'horizontale défilaient avec l'uniformité des mois et des années. Il vit ses parents assis à une table en métal sous un arbre à Riga ; de la neige et des lumières la nuit ; les sentiers qu'il parcourait en compagnie d'autres enfants pour voir et revoir, sans jamais en parler à quiconque, le soldat mort dans la forêt qui se décomposait depuis plus d'un an ; il passa devant la bouche de sa sœur qui parlait lentement parce que sinon elle avait le "vertige" ; le maître d'école fluet et borgne ; les dents de sa tante et ses pâles seins qui ballottaient ; "Tais-toi !" ; la charnière rouillée de la porte de devant ; après les trois côtes cassées, il remarqua un excès de cire dans une oreille ; voulut attraper la géométrie défilante d'une feuille de fougère ; pissa dans son froc ; prit une grosse bouchée de pomme, puis une autre ; une jeune femme à la peau lisse emprunta les traits de sa mère ; brusque et totale disparition de leur père ; il passa le rien entre les cuisses de sa sœur ; la façon dont il admirait ses aînés ; des points noirs sur le nez de ce fichu policier ; maman encore une fois, robe ample ; pendant la guerre, des après-midi prirent soudain des odeurs de boucherie ; un mépris de femme ; les chevilles sales de la fille ; des uniformes et une grisaille généralisée ; des rues boueuses ; il passa devant d'énormes brèches de sa vie, d'énormes brèches ; des fougères, de la terre humide, de grands oiseaux noirs ; il faut que j'éclate de rire ; de l'eau rugissante ; elle ouvre ses cuisses ; l'air de Turczaninov le jour où il l'avait collé en prison pour vingt ans et comment le même jour il était allé lui prendre sa femme ; l'idée de New York en silhouette ; il n'arrive pas à s'approcher suffisamment, il n'a jamais pu s'approcher suffisamment ; a pris le fusil dès sa première semaine en Australie et a tiré sur l'aigle — a frappé le sol avec un bruit sourd ; pas une idée en tête, mais ça lui est égal ; soif ; deux arbres se détachent sur le ciel ; une vie donnée, c'est le bon laps de temps, il le voyait ; un verre se remplissait d'eau à ras bord ; il défile lentement ; lumière blanche. Telles étaient les choses qu'il aurait vues. Le fait est qu'il parvint à la surface dans le désert au sud de Darwin, que le Russe blanc le souleva gentiment en l'attrapant en dessous de ses épaules ruisselantes d'eau, et qu'il était mort. »

21

Cameronii

Il fallait en passer par des échantillons de comportement masculin. Il était toujours difficile d'ignorer des comptes rendus de courage physique.

Une tranchée militaire, prête à l'emploi, projetait une ombre profonde à travers son esprit. Chaque scénario représentait une situation bien trop facilement imaginée qui déclenchait une répétition au ralenti du comportement qu'il aurait pu avoir. Il s'agissait de garder sa vivacité en même temps que son calme, et ce, souvent dans la boue. Pas de trace de femme où que ce soit, pas de frémissement de la douce robe de coton.

Ces analyses rétrospectives sur la violence pouvaient aisément se transformer en histoires importantes. Même réduites à l'état de fragments, à la façon dont on démonte un fusil, il y a toujours la possibilité qu'elles basculent dans les profondeurs d'un mythe, effet d'écho très profond.

Les histoires habillées de kaki n'intéressaient guère Ellen — tout comme à Sydney c'est à peine si elle avait regardé les frégates et les croiseurs à l'ancre à Wooloomooloo. À présent qu'il était en train de s'attaquer à ce quota, Ellen, assise en tailleur, semblait l'écouter avec bonne humeur — alors que ce n'était qu'une simple manifestation de tolérance — et, tel un cygne blême, inclinait son cou pour examiner sa plante de pied nue.

Dieu sait qu'il y a bien assez de choses dans les noms d'eucalyptus pour réveiller des tas de souvenirs fascinants concernant la guerre et d'autres exemples de comportement masculin poussé à l'extrême (c'est-à-dire normal).

Il y a au moins quarante espèces d'eucalyptus portant le nom de *box* et appartenant donc à la classification des faux buis : Fuzzy Box, Craven Grey Box, Molloy Box, *et cetera* ; en échafaudant des histoires pour Ellen, l'inconnu laissa de côté, comme étant trop ordinaire, le possible lien entre ces espèces et l'anecdote, par exemple, sur l'épouvantable gaucher aborigène avec la blonde décolorée et tatouée qui se peignait les cheveux dans son coin, ou celle sur Molloy, le Grand Espoir Blanc de Lithgow, qui avait abandonné la boxe sans une seule marque sur la figure — il avait même conservé toutes ses dents — et qui était devenu un riche vendeur de tracteurs et de voitures d'occasion dans une petite ville de campagne avant de vivre une tragédie personnelle avec son fils unique. Les histoires prennent une certaine vitesse à l'intérieur du ring avant de se propager vers l'extérieur.

Pour ce qui est du gommier moucheté (*E. maculata*), on se rend tout de suite compte que son tronc madré vert kaki constitue une réplique du camouflage porté par l'armée australienne. Il permit à l'inconnu de commencer certaines histoires en faisant remarquer que, d'après une source digne de foi, les troupes australiennes — à commencer par celles du capitaine Graves des Fusiliers gallois de Sa Majesté —, avaient une effroyable réputation de violence à l'égard de leurs prisonniers — *pire que les Marocains et les Turcs.* Peut-être était-ce dû au fait que, dès la Grande Guerre, un grand nombre de volontaires provenaient des régions rurales où l'abattage des bêtes fait partie de la semaine de travail. Il y avait un paysan qui avait réussi à éviter les deux guerres, l'inconnu s'en souvenait (Ellen n'était pas trop attentive), et avait construit, sur la rivière de la propriété qu'il possédait avec ses frères, le monument aux morts le plus mélancolique qui soit, un pont privé réservé à l'usage exclusif des moutons.

Les *bloodwoods,* des gommiers riches en gomme-résine, reconnaissables à leur sève rouge hémorragique, constituaient d'autres candidats tout indiqués pour la genèse de nouvelles histoires ; Holland en avait une bonne trentaine, du côté sud. Dites le mot *blood,* ou sang, à n'importe quel homme et il lui viendra aussitôt à l'esprit des batailles d'infanterie, des accidents de voiture et des doigts coupés, alors que, pour Ellen, le sang avait un sens plus coulant, nettement plus profond. Il y a un soldat à Canberra, un vieux bonhomme svelte, qui a un visage rouge incroyable. Jeune officier, il avait franchi des tranchées en Afrique du Nord et en Nouvelle-Guinée et s'était battu tout seul contre l'ennemi. En plus d'une occasion, sa crosse de fusil et lui s'étaient retrouvés complètement éclaboussés de sang. Il avait plusieurs blessures et des médailles pour en témoigner. Dans la vie civile, c'était lui qui rédigeait les citations imprimées accompagnant les distinctions honorifiques octroyées pour des actes de bravoure remarquables, tâche bénévole qu'il parvint à totalement monopoliser. Au fil des années, il développa une grande maîtrise de la description laconique, laquelle pouvait supporter d'innombrables répétitions : « En des circonstances d'extrême... », « bien que largement dépassé par le nombre... », « sans même songer à sa propre sécurité... », « il repartit au combat sous un feu nourri... », *et cetera*. Et, pourtant, à l'instar d'un tas d'autres hommes physiquement courageux, chez lui, il ne cessait de reculer devant sa femme et ses quatre filles et trouvait plus commode de déserter la maison quand se posaient des questions de subtilité et de principes ; on pourrait dire qu'on avait là un individu jovial, populaire et « moralement lâche ».

Ils passèrent au milieu des derniers *bloodwoods*. Il faisait très chaud. Tout en le suivant, Ellen voyait vaguement en lui une sorte de guerrier errant. Elle est bonne, celle-là — un *guerrier errant* au milieu des gommiers. N'est-ce pas tiré d'un vieil et gros ouvrage équipé d'un cadenas en laiton afin d'interdire toute consultation ? Parfois, Ellen se focalisait sur une silhouette appuyée contre un arbre déchiqueté par un éclat d'obus, couverte de poussière, épuisée d'avoir perdu son sang ; il arrivait même qu'elle soit à cheval...

Elle ne savait toujours pas comment il s'appelait. L'espace d'un moment, Ellen envisagea de demander à son père s'il le connaissait.

Et pourquoi M. Cave n'aurait-il pas pu être un guerrier venu de contrées lointaines ? Devant son père implacable, il arborait un calme prosaïque, pas un cheveu en désordre. Et il y avait quelque chose du soldat dans son teint et son maintien ; son ensemble safari était très nettement paramilitaire ; telles étaient les pensées qu'Ellen échafaudait, entre ses yeux mi-clos.

Au sortir d'un petit ravin qui déversait des blocs de pierre orange, il y avait un grand arbre filiforme, *E. exserta.*

En passant devant lui, il médita sur son nom vulgaire, « messmate » ou copain de table. « Au cours de la dernière guerre, enchaîna-t-il, deux soldats australiens sur un bateau de transport de troupes qui faisait route pour le Moyen-Orient eurent une vive dispute à propos de courses de chevaux. De ce jour-là, on les considéra comme des amis. Le petit espérait devenir dentiste à Brisbane, son copain travaillait pour une brasserie. La profondeur paisible de leur amitié se remarquait au fait qu'ils continuaient à bavarder après avoir fini de manger et qu'ils étaient les derniers à quitter le réfectoire. Il n'y avait pas de gêne. Pour eux, il n'était pas nécessaire de parler comme un moulin. Même s'ils ne se connaissaient pas beaucoup et ne se demandaient rien, parce qu'ils ne voulaient pas se poser de questions trop personnelles, ils se seraient mis en quatre pour se donner un coup de main. Les cakes envoyés d'Australie dans des boîtes hermétiques, les cigarettes et les brosses à dents comptaient au nombre des choses qu'ils partageaient, pour n'en citer que quelques-unes. À Jérusalem, un photographe des rues les fit grimacer, le premier affublé d'un fez et du sourire du Queensland, et le bras passé autour des épaules du second, devant une grossière toile de fond représentant une misérable oasis.

« Tous les deux ou trois jours, le petit écrivait à une jeune femme de Brisbane à laquelle il était fiancé. Tenant la photo de la belle à bout de bras, son ami émettait un sifflement grave, alors que, même à cette distance, il devait sûrement remarquer ses dents proéminentes.

« Le petit, le dentiste putatif, était sérieux et presque pédant, surtout quand il évoquait sa fiancée qui l'attendait au pays, alors que celui qui sifflait était grand, filiforme, bruyant, décontracté et qu'il évoluait sans problème dans la vie. Il s'appelait Malin, ce qui l'empêcherait, affirmait-il, de jamais devenir officier.

« Peu après, au cours de la bataille de Crète, le petit perdit l'œil droit et une main à cause d'une grenade. À ses côtés, son ami dégingandé, Malin, reçut un éclat d'obus dans le ventre.

« Ils furent évacués tous les deux. À l'hôpital militaire, on leur donna des lits côte à côte, et le grand se mit à récupérer.

« Comme de juste, le copain grièvement blessé, qui disparaissait presque entièrement derrière ses pansements et à qui il manquait un œil et une main, n'était pas en état d'écrire à sa fiancée, et encore moins sur une base régulière. Même quand son ami lui glissait une cigarette entre les lèvres, il avait du mal à inhaler.

« Malin, une fois sur pied, prit sur lui d'écrire à la fiancée. Sans réfléchir, il ne s'embarrassa pas de présentations et utilisa à la place le "Je" familier.

« À Brisbane, la jeune femme se mit à recevoir des lettres d'un soldat dont elle n'avait jamais vu l'écriture. Après quelques hésitations, elle répondit.

« Elle le remercia de ses lettres et lui demanda si, par hasard, il connaissait son fiancé, un homme de petite taille aux cheveux roux. Elle lui posa la question à plusieurs reprises. Aidé par les bouleversements de la guerre — tous les jours, des bateaux étaient coulés en Méditerranée — vraisemblablement avec ses lettres —, il ne répondit pas. L'instinct lui conseillait de ne pas décrire les terribles blessures de son ami. À la place, il redoubla d'effort pour l'amuser. Peu à peu, elle en vint à lui poser des questions sur lui.

« Dans cet hôpital aux murs verts, les heures s'écoulaient avec lenteur. Il avait connu la guerre ; ça lui suffisait. Tout ce qu'il souhaitait maintenant, c'était rentrer au pays. Il lui parla de ses projets d'acheter un pub à la campagne. Il s'était fourré cette idée en tête. À la campagne, les pubs étaient étonnamment peu chers. Il décrivit à grands traits une vie paisible en harmonie avec les saisons et les passages des tondeurs et des voyageurs de commerce. Ses lettres comptaient à présent au moins une douzaine de pages. Les dents de la jeune femme, si proéminentes dans toute leur innocence, avaient repris une position normale : désormais, il ne se représentait plus que son strabisme accommodant et le mouvement de ses hanches telles qu'il en gardait le souvenir d'après la photo déchirée.

« Pendant ce temps, le futur dentiste demeurait dans un état critique et Malin, qui donnait de faux symptômes aux médecins pour rester à côté de son ami, le poussait vers la lumière du soleil, s'asseyait à côté de lui dans une chaise en rotin et écrivait ses lettres. Durant l'un de ses brefs déplacements, son ami gémit en recevant un coup. Une autre fois, il chercha le bras de son copain, "C'est toi le meilleur".

« Peu à peu, presque de manière fortuite, les lettres s'enflammèrent, devinrent hautement suggestives. Du fait du souvenir photographique qu'il en avait, il exaltait abondamment ses hanches, et ses pieds, qui n'apparaissaient même pas sur la photo et avançait des spéculations sur sa personnalité. Il la défaisait de ses habits avec de lents détails, puis décrivait ses sous-vêtements jusqu'au moment où, à ce qu'il lui disait, elle se dressait totalement nue devant lui. C'était un soldat, et un soldat est censé être courageux.

« Elle réagit avec prudence, fit une blague légère. Mais avait-il sérieusement imaginé qu'elle serait offensée ?

« Son écriture virile ne lui était plus inconnue. Le flux plein de fermeté et l'encre noire traduisaient, page après page, une insistance en accord avec les mots, les pensées qu'il ne pouvait s'empêcher d'exprimer. Et comme il écrivait à présent tous les jours, elle s'était à peine remise d'une cascade de rêveries à distance qui se lisaient comme autant d'opiniâtres revendications que d'autres arrivaient, puis d'autres encore ; ou, du fait des perturbations de la guerre, une série de sept ou huit. Pour reprendre une expression militaire récente : c'était une version du bombardement intensif à laquelle il était difficile de survivre.

« Petit à petit, l'ami grièvement blessé se rétablit suffisamment pour être rapatrié, quand bien même sa vue restait faible. Tout en marchant à côté de lui tandis qu'on le montait à bord du bateau, son ami lui dit qu'il chercherait à le retrouver à la fin de la guerre. Ils se serrèrent la main et échangèrent leurs adresses. »

À ce moment-là — le pire moment possible —, une corneille entama sa lugubre complainte. Avant qu'Ellen eût pu dire quoi que ce soit, le conteur se tourna.

« On pourrait toujours commencer, déclara-t-il en lui souriant, par regarder dans les pubs de la campagne, ici et là, ceux qui ont de grandes vérandas. Et examiner les dents de toutes les femmes de plus de cinquante ans qui servent au bar. »

Encore une fois, c'était cet inconnu qui ouvrait le chemin dans sa propriété ; Ellen se rendait bien compte qu'elle le suivait — elle aurait pu être ailleurs, en train de faire autre chose.

Ils étaient loin de la maison.

Il continuait à marcher, sans avoir l'air de s'intéresser à elle ; souvent, il ne prenait même pas la peine de repousser les mouches de la main. Et pourtant il y avait des heures qu'ils se baladaient ensemble, sans paraître en avoir conscience, comme des inconnus confortablement assis côte à côte dans un cinéma obscur.

« Vous ne devriez pas rentrer ? s'écria-t-il brusquement. Quelle heure est-il ? »

C'était une question qui n'appelait aucune réponse ; souvent, ces interrogations restaient en suspens comme la plus agréable, la plus franche des déclarations. Que dirait-elle si son père lui demandait où elle était allée ? Des mots et des mots, d'une heure à l'autre, d'un arbre à l'autre.

Devant son attraction vers tel arbre plutôt que tel autre, on aurait cru qu'une longueur de fil en plomb disposé en triangle l'obligeait à suivre des lignes droites imaginaires. À mesure que Ellen entrait dans ses histoires, ou ses ébauches d'histoire, elle se rendait compte qu'elles découlaient des noms des eucalyptus, de leur nom vernaculaire le moins original. Et si nombre d'histoires reposaient sur les plus minces des fondements, ou même sur une interprétation totalement erronée d'un nom, cela n'avait quasiment pas d'importance.

Là, au grand jour, se dressait un *E. cameronii,* assez grand avec une écorce grise et fibreuse.

Il arracha une lanière de son écorce tendre, ce qui produisit un nuage de poussière.

Ils demeurèrent dans l'ombre fragile du *cameronii* qui ressemblait en fait à un négatif de feuillage, et la façon dont il se mit à entrer et à sortir de l'ombre donna à penser qu'il avait pioché une anecdote, encore une, dans son stock de plus en plus maigre d'histoires de guerre, d'histoires de violence, lesquelles sont des histoires gris sombre. Et Ellen ne savait pas encore si le gris était une couleur qui lui plaisait, que ce fût pour un bateau, une paire de chaussures, une robe — masculine, métallique. Il y avait quelques exceptions, bien entendu, tels certains soirs d'hiver ou les douces plumes du galah ou cacatoès rose qui saignent harmonieusement jusqu'à en devenir roses.

Les histoires vers lesquelles elle se sentait attirée n'étaient pas des histoires grises à dalles noires, mais celles qui affichaient du vert, du rouge, de fortes giboulées de bleu et des repositionnements géométriques entre trois personnes, si profonds et choquants qu'il lui fallait simplement les noter dans son journal.

Du bout des doigts, Ellen effleura les grains de beauté semés sur ses joues.

« Une petite ville de la république d'Irlande, commença-t-il, du nom de Lifford. »

Un commencement aussi condensé, aussi génial, évitait d'autres possibilités fécondes : « Par une nuit pluvieuse à Boston », par exemple ; ou « Étrange sensation alors (26 août) », sans parler de « La marquise sortit à cinq heures ». N'empêche, à son crédit, il avait procédé à une inoffensive exagération : Lifford est en réalité un village, pas une ville. Toits d'ardoise, rues humides, écoliers étonnamment capricieux.

« Lifford, il suffira d'un coup d'œil sur la carte pour s'en apercevoir, ressemble à de malheureuses villes de Pologne et de Tchécoslovaquie. Elle a la malchance d'être à cheval sur la frontière qui sépare deux pays...

« À Lifford, certaines maisons avaient leur salon en Irlande du Nord et leur salle de bains et leur jardin de derrière sur le sol de l'Irlande. Une ligne en pointillés invisibles divisait la ville et la vie de ses habitants.

Exception faite de tout le reste, elle attisait de sauvages loyautés. Un jeune homme nommé Kearney avait grandi à Lifford, dans une famille de cinq enfants catholiques. Il était très clair quant à ce qu'il souhaitait faire. Comme la majorité des jeunes hommes, il voulait quitter Lifford. Mais même Dublin, au sud, paraissait se situer à l'autre bout du monde. Bien qu'il fût au chômage, il entreprit d'économiser pour s'acheter une moto. Kearney était un buveur. Pour sortir avec les filles protestantes des fermes proches, il traversait la frontière de nuit. Il les embrassait derrière les arbres et les murs de pierre. Pour raconter des blagues, c'était un champion. Il avait une grande gueule. La nuit, dans les champs et les petits chemins, il apercevait des hommes qu'il reconnaissait, ainsi que des inconnus armés et des voitures tous feux éteints ; dans un conduit souterrain, il vit un soldat britannique, mort, et un protestant, qui bougeait encore, coiffé d'une casquette en tissu.

« Quelques hommes plus âgés lui suggérèrent de ne pas oublier de se taire et de ne pas embêter les filles de ferme. Si on l'avait prévenu, il n'en tint aucun compte. On le prévint une fois de plus.

« Une nuit, après avoir raccompagné une fille chez elle, Kearney regagna Lifford. Cette fille qui vivait en Irlande du Nord lui avait permis de défaire le devant de son chemisier. Les mains dans les poches, Kearney sifflotait en traversant la frontière pour rentrer en Irlande.

« Un homme surgit devant lui, alluma une cigarette. D'autres s'avancèrent. Kearney jeta un coup d'œil autour de lui et essaya de bluffer. En plein jour ou dans un bar, il aurait pu les charmer. Un poing ou un manche de hache le frappa sur le côté de la tête avec une force terrible. Le choc parut lui fracasser le crâne. Il reçut un autre coup en pleine figure, puis d'autres, et d'autres encore d'ailleurs. Il eut l'impression que son nez se décrochait. Pour s'attirer la compassion, il tomba à terre et se recroquevilla, ce qui fut pire, car son attitude parut solliciter leurs bottes. Des tas de parties de son corps craquèrent, se fendirent. Il se sentit partir. Il n'avait que vaguement conscience du pourquoi du comment. Il se rappela avoir éprouvé une sensation de soulagement : ça ne fait pas mal. Il se posa aussi des questions sur sa moto. Moins d'une heure auparavant, ces dents solides avaient touché les seins pâles de la solennelle fille de ferme, et voilà que Kearney criait tandis qu'elles se refermaient avec des claquements secs et que des morceaux d'ivoire lui tombaient dans la bouche.

« Dans la bagarre, une partie de son corps fut tabassée en Irlande du Nord et l'autre en république d'Irlande. Ses côtes furent cassées et ses poumons perforés d'un côté de la frontière, sa pommette, ses doigts et sa cheville fracturés de l'autre.

« Une partie de son corps se ramassa un aller et l'autre un retour. Un œil se ferma.

« On laissa Kearney moitié mort, moitié vivant. Même lui ne savait pas trop. Au petit matin, le laitier le découvrit, gisant dans une petite mare, plus mort que vif.

« Ce fut comme si — de ce jour-là — une partie de ses sentiments était morte et l'autre vivante. C'était agréable de bavarder un moment avec Kearney. Il n'exprimait pas d'opinion, il ne prenait pas parti. Une partie de lui pensait telle chose, l'autre partie le contraire. D'un côté ci, de l'autre ça.

« Avec sa pension d'invalidité, il alla s'installer à Dublin. Là, il finit par se mettre à la photographie.

« Pour quelqu'un qui avait adopté une attitude de neutralité face à n'importe quelle situation donnée, une carrière dans la photographie était idéale et, après qu'il se fut très bien sorti d'un apprentissage de photographe pour la police, Fleet Street reconnut ses exceptionnelles qualités de calme impartialité et Kearney se vit assigner de difficiles reportages sur des guerres civiles et des famines ainsi que sur des exécutions en Afrique et en Amérique du Sud, reportages qui avaient anéanti la tranquillité d'esprit de bien d'autres avant lui. Kearney ne manifestait aucun état d'âme devant ce qu'il voyait. Du fait de leur âpre objectivité, ses photographies en noir et blanc devinrent célèbres dans les journaux du dimanche.

« Et, durant ces années bien remplies, Kearney lui-même se transforma en un personnage familier avec son visage abîmé, sa jambe de traviole et son sempiternel sac photo.

« Dans l'un des bureaux du journal à Londres, il rencontra une journaliste australienne qui travaillait pour un quotidien de la Nouvelle-Galles du Sud. Elle avait des points de vue sonores sur tout ce qui bougeait sur terre. Peut-être reconnut-il quelque chose de son ancien moi en elle ! Et puis elle trouvait attirante son exceptionnelle aptitude à voir les deux côtés. Il avait tendance à l'équilibrer ; en même temps, elle voyait bien qu'elle serait capable de le tenir — vie dotée d'une certaine cohérence.

« À peine s'étaient-ils mariés qu'elle proposa qu'ils aillent s'installer à Sydney. Une ville ou une autre, en ce qui le concernait, c'était pareil, même si Sydney impliquait de tout recommencer de zéro pour son travail de photographe dans la police.

« C'est elle qui le persuada d'éviter le noir et blanc et de se mettre à la couleur. Ça ne lui posait pas de problèmes. La couleur permettait d'obtenir des résultats qu'on ne pouvait pas obtenir avec le noir et blanc et vice versa. D'une de ces petites maisons mitoyennes de Newton où les portes et les fenêtres s'ouvrent sur l'humidité et en suffoquent — sordide banlieue, Newton —, ils démarrèrent une petite affaire de calendriers photographiques que tels agents de change, épiciers et bouchers utilisaient comme cadeaux en décembre et qui, chaque année, présentaient une photo d'un pâturage plein de mérinos, ou une vue du même gommier spectre solitaire pris sous des angles différents.

« Le business n'a pas prospéré. Mais il n'a pas décliné non plus.

« Se faire une opinion sur Kearney demeure impossible. Il ne discute jamais. Depuis quelque temps, elle fréquente l'église. Ils ont l'air de former un couple heureux. »

22

Rudis

Il paraît inconcevable qu'un homme calme puisse avoir une imagination violente ; et pourtant des signes de ce phénomène napoléonien sont très fréquents dans les sphères à la périphérie du protestantisme. En fait, ce n'est peut-être pas aussi tiré par les cheveux que ça d'affirmer que le calme et l'imagination violente sont précisément les deux premiers facteurs qui poussent des hommes à s'engager au service de l'Église. Ce trait est tellement banal parmi les ministres du culte, les pasteurs et les missionnaires qu'il ne peut être ignoré par les autorités protestantes, sinon à leurs risques et périls. Dans certaines paroisses traditionnelles, ou lorsqu'un homme en apparence calme est envoyé comme missionnaire dans un pays inconnu et difficile, il y a toujours une possibilité de conduite inconvenante. Le travail de missionnaire, soit dit en passant, paraît en contradiction avec la règle cardinale selon laquelle « dans l'assise et le silence, l'âme acquiert la sagesse ».

L'histoire de Clarence Brown — le révérend Clarence Brown — commence, pour notre affaire, non à Édimbourg où il est né, mais en 1903 sur un fleuve de l'Afrique de l'Ouest, alors qu'il a une petite trentaine, et se termine (plus ou moins) dans la banlieue d'Adelaïde et ailleurs en Australie où on perd sa trace.

Son père, prédicateur à Édimbourg, adorait la houle océane de sa propre voix. Un simple « bonjour » sur le perron du temple était formulé avec tant de conviction que les veines de ses tempes et de son front s'en dilataient. La congrégation ne fut guère surprise quand, un dimanche, il parut bégayer, le bras levé comme s'il brandissait un large glaive, et piqua du nez contre la chaire.

Clarence s'agenouilla à côté de son père. « Vas-y... », parut bredouiller ce dernier avant de pousser un dernier soupir du tréfonds de son être. De toute façon, Clarence avait pris sa décision. Au début de 1903, il débarqua à Lagos avec sa jeune femme et, le jour suivant, remonta le fleuve Niger en direction d'un lointain village très chaud.

Rien n'avait préparé le révérend Brown et sa femme encapotée à l'incroyable chaleur de l'Afrique, aux signes de la maladie et de la famine et, partout, à cet air de désespoir impassible. Il s'était rendu une fois à Londres, un point c'est tout.

L'étrangeté stupéfiante de ce pays se parait d'une mélancolie plus grande encore du fait de la largeur du fleuve et de la distance entre les gens et les objets. Dès l'instant où ils débarquèrent en Afrique, et plus ils remontèrent le fleuve, ils se sentirent oubliés des leurs, cette autre tribu accoutrée d'habits et de coutumes sophistiqués. Tout en se frottant les mains, le révérend fit de son mieux pour consoler sa femme qui pleurait son piano et ses nombreuses sœurs à Édimbourg. Sous l'effet de la chaleur, elle affichait un teint cramoisi et respirait par la bouche. Elle ne supportait pas le moindre bruit et refusait de toucher les bébés.

Pas une goutte de pluie n'était tombée dans cette partie du monde depuis sept ans.

Les récoltes avaient flétri, ce qui avait affecté la vue et les os des cadets des enfants et décimé les troupeaux vagabonds de chèvres noir et blanc qui faisaient la richesse de la communauté, altérant de manière définitive le système de la dot. Pour la première fois de mémoire de vivant, le fleuve Niger avait cessé de couler et, venus de l'amont, des témoignages affirmèrent qu'on l'avait vu couler *à l'envers*. Pour les gens qui avaient grandi sur ses rives, le monde qu'ils avaient connu touchait à sa fin.

Si la forme du fleuve dans sa totalité avait été simple et visible comme le soleil ou la lune, ou un arbre, ou même un feu, on l'aurait peut-être adoré. Les gens prenaient leur fleuve au sérieux. Il baignait leur vie, l'avait toujours fait, et donnait vie à d'autres. Selon des histoires, venues de l'amont encore une fois, des corps, emportés par les crues, s'arrêtaient devant certaines maisons pour dénoncer telle femme infidèle.

En temps normal, il suffisait d'une main pour évaluer la force du fleuve. À présent qu'il avait cessé de couler et qu'il se résumait à une vaste mare chaude, une lassitude analogue s'était emparée des gens, ce qui provoqua chez le révérend Brown un affaiblissement, puis une perte de toute apparence de calme.

Il semblait sorti de l'Ancien Testament. La silhouette décharnée qui trébuche dans un paysage désolé constitue la chair à canon des fables. C'était un homme bien ; cela se manifestait par une sorte d'innocence fiévreuse. Il ne supportait pas de voir souffrir les gens — les enfants, les enfants. En tant que nouveau venu et que Blanc investi de pouvoirs religieux, il cristallisait l'attention de tous. Il fallait qu'il fasse quelque chose.

On ne cessait de l'observer, séparément, par groupes.

Revêtu de ses plus beaux atours religieux, le révérend Brown pria pour que vienne la pluie, d'abord en privé, puis aux côtés de sa femme taciturne — qui éprouvait à présent une inexplicable colère envers les indigènes ; puis dans le temple en tôle ondulée où il faisait une chaleur étouffante ; puis, quand tout cela eut échoué, près du fleuve devant une foule importante. Il leva la tête vers les cieux : brûlants et totalement vides de nuages. Cette situation se prolongea durant des semaines. Puis il entendit retentir ses propres paroles comme des coups de tonnerre ; quelqu'un avait la pleine maîtrise du malheur et de la mort — il appela pour voir si quiconque écoutait : jusqu'au moment où, sous l'effet d'une impulsion cadencée dictée par l'espoir et la perplexité et peut-être héritée de son père, il sortit en toute hâte du temple et précipita dans le fleuve le grand Christ en bois.

Plus tard, ce même jour, le grand fleuve en question parut bouger. Le lendemain, il coulait avec force. En l'espace d'une semaine, rien ne l'arrêtait plus : le cours d'eau, qui avait pris de l'ampleur, sortit de son lit. Les animaux fragiles et les quelques récoltes furent emportés ; les vieilles gens et les enfants affaiblis par la famine aussi ; les huttes de fortune sur les rives furent balayées ; même le temple de Brown, qui était censé occuper le terrain le plus élevé, se retrouva inondé.

Pour ce peuple de conteurs, le révérend n'avait apporté que des ennuis. Depuis son arrivée, leurs malheurs s'étaient multipliés. Derrière son dos roulait un flot d'injures. Brown n'arrivait pas à comprendre pourquoi on ignorait ses sermons hebdomadaires. Londres reçut des rapports sur ses difficultés et la scandaleuse immersion du Christ — exception faite du reste, cette statue était la propriété du temple —, il fut donc rappelé et ne remit plus jamais les pieds en Afrique.

À Norwood, dans la banlieue d'Adelaïde, qui est la cité des eucalyptus, Clarence Brown et sa femme s'installèrent dans un bungalow doté d'une véranda rouge. Cette banlieue placide tout en clôtures de pieux gris passé eut un effet apaisant, du moins sur elle. Avec son surplus d'énergie, il se retrouva vite aussi occupé qu'un prédicateur laïque, déménageur en semaine.

Ils avaient une fille. Quand elle eut dix-huit ans, elle se retrouva obligée d'épouser un homme plus âgé. Pendant quelque temps, son père essaya de dissimuler son état en la gardant à la maison ; mais quand ce ne fut plus possible, il la renvoya, malgré les supplications de sa mère.

L'homme qu'elle épousa était un cadre supérieur dans les assurances, toujours sur les routes. Il s'appelait Cave. Leur enfant, un garçon, devint fort en grandissant et très proche de sa mère. En raison des circonstances, elle en arriva à être extrêmement dépendante de lui. Évitant le temple, elle l'emmenait plutôt au concert, prenait toujours les mêmes sièges. Et il ne manquait jamais de s'inquiéter devant le fait que la musique suscitait une violente imagination chez sa mère, lui faisait entrouvrir la bouche, froissait le calme habituel de son visage, la poussait parfois à verser une larme. Il continuait à l'accompagner au concert ; mais M. Cave se méfiait encore de la musique, laquelle est écrite à la gloire de Dieu.

Pendant quelque temps, il chercha à prendre du recul pour mieux se comprendre. Même s'il était bien dans ses chaussettes, il se percevait comme une présence légère et plutôt vague. M. Cave avait facilement le sentiment d'être accessoire.

L'univers des arbres offrait au moins une base solide. Après tout, c'était là un monde entier, dénué de psychologie, un monde à la fois ouvert et fermé. Classification et description constituaient une tâche assez ardue. Les eucalyptus, par exemple, représentaient un sujet complexe qu'il pouvait presque enfermer dans sa propre forme, comme s'il se fût agi d'une personne se reproduisant à l'infini.

À plus d'une reprise, M. Cave avait été sur le point de confier à Holland une partie de cette histoire — comme si la confidence allait faire une différence ; mais, à la place, il parvint à la conclusion que ce serait Ellen qui lui manifesterait le plus de compassion. Il était grand temps qu'il entame une conversation avec elle.

Avec Holland, il était plus simple de divaguer sur le thème des eucalyptus. L'échange d'informations était facile — plus facile — pour tous les deux. M. Cave pouvait s'y livrer tout en nommant les arbres. Lors de ses nombreux voyages d'études le long du Murray ou de la Darling, à Cooper Creek et au-delà, M. Cave avait entendu des histoires sur les inondations, presque autant que sur les feux de brousse ou sur des gens sans expérience qui se perdaient et mouraient de soif. Tout en parcourant la propriété avec Holland, M. Cave se sentait obligé de raconter certaines de ces histoires, et Holland en mentionna une à Ellen en passant, parce qu'elle parlait d'une femme en ville qu'ils connaissaient tous les deux.

Peu d'années auparavant, à l'époque où il y avait eu pénurie d'enseignants, à ce que racontait l'histoire, le gouvernement avait fait passer des petites annonces en

Grande-Bretagne. Un professeur de sciences flanqué d'une pâle épouse et de deux filles débarqua et fut envoyé à Grafton — une de ces villes fluviales du nord de la Nouvelle-Galles du Sud.

Ils s'installèrent dans une maison en bois, pas très loin de la rivière. Ils s'étaient tout juste habitués à ce vaste territoire, sans parler des habitudes de Grafton, une petite ville de la campagne — il y avait à peine une semaine qu'ils étaient là —, quand la Clarence enfla et sortit de son lit. Et davantage d'eau se répandit — brune, impossible à arrêter, omniprésente. Le professeur et sa famille quittèrent leur maison par bateau.

Après l'inondation, il y eut la boue. Elle souillait les murs. Le professeur dut se servir de son épaule pour ouvrir la porte de sa chambre et, quand elle céda, sa femme et ses filles poussèrent un cri perçant et reculèrent. Le flux avait déposé dans leur chambre une vache morte qui, toute boursouflée, était en train de pourrir sur le grand lit.

Quel pays ! Ce genre d'aventure aurait poussé n'importe qui à sauter dans le premier bateau pour réintégrer la verdure de carte postale de l'Angleterre.

Mais ils restèrent. Il devint directeur d'un établissement scolaire.

Quant à leurs filles, elles finirent par se marier dans des villes de la campagne. « L'une d'elles est la bavarde de la poste, confia Holland à Ellen ; la brune aux cheveux qui font comme des écouteurs. Il lui reste des traces d'un accent des Midlands, à la façon dont une inondation laisse une traînée au-dessus d'une fenêtre. »

Du jour où Ellen était descendue du train, cette femme, en ville, avait suivi son évolution. L'enfant n'avait pas de mère ! Souvent, elle avait questionné Ellen sur son père, du moins au début. Presque tous les jours, la receveuse des postes, qui notait les soupirants se rendant à la propriété, se trouvait devoir remettre une lettre à M. Cave ou lui vendre un timbre bordeaux. Bien qu'il fût relativement plus âgé qu'Ellen, elle croyait en ses chances ; c'était quelqu'un de confiance, quelqu'un de solide.

23

Racemosa

On peut voir un bel exemple de gommier pied-dans-l'eau (*E. rudis*) aux jardins botaniques de Sydney, à trente pas de la librairie. Il est indéniablement d'une grandeur écrasante. Plein de *magnificence* est l'expression qui vient à l'esprit. C'est vrai. Mais la magnificence est à éviter à tout prix, surtout pour décrire une œuvre d'art, telle qu'un Cézanne (le peintre de pins) ou les vulgarités architecturales d'un opéra, ou même le physique d'un boxeur basané (« un spécimen d'une grande magnificence »), et encore moins la majesté naturelle d'un gommier. C'est vraiment un terme outrancier, un signe d'impuissance chez la personne qui tient le stylo en suspens et s'efforce de transmettre... mieux vaudrait pour tous les protagonistes qu'il retrouve un usage proche de magnifier, et qu'il en reste là.

De par sa circonférence et son habitat, le gommier pied-dans-l'eau ressemble au gommier rouge de rivière et préfère les cours d'eau et les terrains marécageux ; et pourtant, on a réussi à le faire pousser dans les sables d'Algérie. *Rudis* semble faire référence à l'écorce rugueuse ; soit ça, soit son bois — bon à rien, sinon à faire du feu.

Ses branches supérieures sont lisses et grises. Les bourgeons sont plus gros avec un opercule conique émoussé ; les feuilles adultes sont pétiolées.

Le spécimen de Holland était situé à angle droit par rapport au pont et, juste derrière lui, se dressait un pâle gommier scribouilleur, appelé lui *E. racemosa.*

Ellen était désormais tellement absorbée par les histoires que l'inconnu lui racontait d'une voix lente — elles faisaient tellement partie de ses journées maintenant — qu'elle ne remarquait guère les eucalyptus qui se cachaient derrière ; elle laissait le monde de l'inconnu, son monde à lui et ce qui se situait au-delà, venir à elle. Sa manière entortillée de raconter une histoire après l'autre reposait sur l'imagination et une vaste expérience et signifiait qu'il passait des heures avec elle, et elle seule, dévoilant un peu de lui-même à chaque fois — juste pour disparaître quand il le souhaitait, avec parfois un simple petit geste de la main et rien de plus. Se retrouver alors simplement entourée de troncs gris sans rien qui bouge ou presque alentour ajoutait un côté irritant et déplaisant au silence.

Tout le monde sait que les eucalyptus affichent un air inhospitalier, peu agréable.

Ce vendredi matin, elle enfila une robe beurre délavée et se sentit libertine et libre ; à tel point qu'elle ébouriffa sa beauté avec une expression d'impatience résolue. Et elle avait tellement conscience d'elle-même dans sa robe sans manches qu'elle se lançait en avant en une sorte de désossement, du moins en avait-elle la sensation.

Dehors, en plein air, il n'y avait pas grand-chose sur quoi se concentrer. Au moins pouvait-on compter que l'inconnu allait faire une de ses apparitions ; il constituait une forme à anticiper, distincte des arbres.

La voix était familière — inquisitrice, vaguement

râpeuse. Si jamais il devait lui faire la lecture, elle tomberait endormie.

Cette fois-ci, il se livra à des remarques étonnamment personnelles.

« Ils sont intéressants — il regardait un point en dessous de sa gorge —, ils vous vont très bien. »

Il y avait de gros boutons blancs en dessous du V, juste deux. Elle les avait enlevés à un vieux manteau et cousus sur elle.

« Mon père est parti par-là, déclara-t-elle, alors, moi, je suis venue par ici. J'ai l'impression de le tromper.

— Je ne vois pas pourquoi. »

La mine renfrognée, il fit vibrer fermement le câble du pont bringuebalant.

Ellen avait bien conscience de s'être éloignée de sa remarque initiale, de ne lui avoir laissé que du vent pour continuer, alors qu'il lui avait manifesté un réel intérêt. Elle se tourna vers la formation d'arbres régulièrement espacés entre eux et la maison.

« C'est le groupe d'arbrcs quc jc préfère. Et vous, c'est lequel ? »

Avant qu'il ait pu répondre, elle ajouta avec douceur :

« Vous êtes entré là-dedans ? Moi, un jour, j'ai vu la photo d'une plantation d'hévéas en Malaisie... »

Il leva un doigt en l'air. Des aigles qui descendaient du grand frêne de montagne virèrent de cap et s'éloignèrent, et d'autres oiseaux noirs rejoignirent le ciel.

Alors, Ellen entendit à son tour : des voix d'hommes, des bottes en train d'écraser des lanières d'écorce.

Il l'attira sous le pont où ils s'accroupirent sans qu'il lui lâchât la main ; elle le laissa faire.

Elle perçut le sourire dans sa voix.

« Cette fois, vous êtes vraiment en train de tromper votre père. Et s'il vous trouvait ici maintenant ?

— Chuuuut ! »

À travers un interstice dans le plancher du pont, elle vit son père et M. Cave surgir, disparaître et réapparaître tandis que leurs voix s'élevaient et s'atténuaient, elles aussi.

Ellen n'avait pas prêté beaucoup d'attention aux progrès de M. Cave ; d'une certaine façon, elle avait réussi à les faire passer à l'arrière-plan de ses préoccupations. Mais maintenant qu'elle les avait sous les yeux, elle en était choquée. Elle vit M. Cave avancer inexorablement à travers les arbres et identifier tous les plants qui se trouvaient là en l'espace d'une quarantaine de minutes. Quant à son père, il s'était manifestement résigné. À chaque fois que M. Cave donnait le nom d'un arbre, il le biffait, tel un employé de bureau chargé de tenir à jour une sorte de *catalogue raisonné* maison, protégé par une couverture noire. Déjà, ils ressemblaient à un père et son gendre cheminant de concert.

« On dirait une machine », déclara-t-elle d'une toute petite voix.

Elle avait envie de reposer sa tête. C'était son sentiment d'impuissance — presque une tache grandissante —, elle l'avait oublié ; voilà qu'il lui serrait de nouveau la gorge, qu'il lui nouait l'estomac. Elle ne savait que faire. Son énergie l'avait quittée, comme il paraît que cela arrive à une femme qui va être violée. Pourtant, M. Cave n'avait absolument rien d'un méchant homme ! Accroupie sous le pont, elle se rendit compte que l'inconnu la tenait toujours par le poignet, sévère manière de lui prendre le pouls. Lui au moins, cet homme, avait l'air d'être neutre.

« C'est terrible, ça... » fut tout ce qu'elle put dire.

Il lâcha son poignet et regarda les deux hommes debout sur la berge de la rivière à droite. Cela permit à Ellen d'étudier son profil, son oreille et son cou de très près.

« Mon père, murmura Ellen comme pour elle-même, celui à la vieille veste. Mon père a... »

Tout le monde, à des kilomètres à la ronde, était informé des dispositions que son père avait prises pour son mariage, même si cet homme à côté d'elle n'avait pas l'air au courant.

Pour l'heure, M. Cave avait identifié plus des trois quarts de tous les eucalyptus ; ce n'était plus qu'une affaire de quelques jours. Il restait moins d'une centaine d'arbres, et encore. Tous les autres soupirants avaient été éliminés. Si M. Cave avait voulu, il aurait pu aller de l'avant et en finir dans l'après-midi, sinon qu'il avait l'air d'aimer arpenter les terrains en compagnie de son père, tout en bavardant et en échangeant des informations, et pas toujours sur les arbres. Ellen voyait tout cela devant elle ; et, à présent, son père était devenu étonnamment calme.

Dire qu'il existait un autre homme qui connaissait lui aussi tout ce qu'il y avait à connaître sur ce vaste et complexe sujet !

Soudain Ellen éprouva l'envie d'aller trouver son père et de lui crier après, comme si cela eût dû l'aider. Elle regrettait de ne pas être à Sydney. Là, elle aurait pu disparaître.

Juste à ce moment-là, la fumée de sa cigarette arriva jusqu'à eux, sous le pont. Elle renfermait l'essence de ce qu'il était, lui, son père ; une présence têtue, chaleureuse et négligée jusqu'aux sillons argent dans ses cheveux.

Quant à l'inconnu, on ne pouvait guère compter sur lui. Il manifestait de l'intérêt, puis donnait l'impression contraire. Il attira son attention sur l'arbre trapu en face d'eux, *E. racemosa.*

« Il va forcément se passer quelque chose », déclara-t-il.

Entre-temps, un vulgaire photographe d'arbres (de même que d'autres photographes se focalisent sur les nus, les murs du tiers monde, les enfants abandonnés dans des salons mélodramatiquement obscurs, l'esthétique de la famine et/ou de la guerre, la haute couture, les montagnes sous des angles divers) envoyé par un éditeur international avait parcouru la propriété de Holland — après avoir obtenu sa permission — et, selon un procédé hautement efficace où se retrouvait l'inconscience désinvolte de la nature elle-même, avait identifié et photographié tous les eucalyptus. Il avait respecté le délai qui lui avait été imparti et cela lui avait pris plusieurs semaines. Où qu'il installât son appareil, les autres se trouvaient invariablement du côté opposé de la propriété. Puis traînant son trépied comme un théodolite, il le chargea dans sa voiture et ressortit par la grille d'entrée, sans avoir idée de l'enjeu — à sa portée, si seulement il avait été au courant — mais peut-être que cela ne l'intéressait pas, et on ne le revit jamais. Même Ellen, qui avait éprouvé une aversion immédiate pour sa barbe brune en broussailles, ses bottes et son short kaki, ne sut jamais ce qu'il avait accompli.

24

Barberi

Holland prenait son petit déjeuner et, habillé de sa veste rugueuse, se préparait encore une fois à sortir.

Derrière la fenêtre : des eucalyptus partout jusqu'au terrain plat au bord de la rivière dont le cours était encadré par une grande masse de verdure. À gauche, on voyait une partie de l'allée ornementale plantée d'eucalyptus de même hauteur régulièrement espacés ; rappelez-vous qu'elle va de la route à la porte d'entrée.

Il était tard. M. Cave, qui était tout près de remporter le prix en question, pouvait se permettre de prendre son temps.

Des nuages avaient envahi le ciel et pesaient sur la terre, promesse d'une pluie depuis longtemps attendue. De ce fait, l'atmosphère et certaines parcelles de terre étaient grises. À table, l'humeur était sombre, ombrageuse. Sans doute était-elle accentuée — exagérée, dirons-nous — par les briques gris anthracite de la maison et par la pénombre accrue que généraient les vastes vérandas.

Ellen se sentait grise. Elle n'avait pas dormi.

Elle se demandait si c'était sa propre lassitude qui donnait à son père un air... pas vraiment âgé, mais incontestablement usé et rassis. Ses oreilles avaient grandi. Et les bouts de menton qu'il avait oubliés de raser dénotaient d'une certaine façon un manque de jugement dans tous les autres domaines.

« Je veux que tu boives ça. Sinon, je ne sers pas le thé. »

Au petit déjeuner, Ellen avait préparé du jus d'orange, sinon pour prolonger sa vie, du moins pour qu'il se sente mieux.

Son père prit le verre.

« D'après M. Cave, il fallait être fou et ignorant pour planter des eucalyptus le long de l'allée. Il connaît au moins trois propriétés où, à cause de ça, un feu de brousse qui passait est remonté tout droit jusqu'à la maison. Et tout est parti en fumée. À son avis, ça pourrait arriver ici. Si c'était le cas, qu'est-ce qu'on ferait ? »

Il toucha le coude d'Ellen.

« La première chose que ferait notre ami, M. Cave, ce serait de te leur faire tâter de la tronçonneuse. Mais, à part toi, il n'y a rien qui ait beaucoup de valeur dans cette maison. Et sans toi — il tenait toujours son coude ravissant —, cet endroit serait une coquille vide. »

Ellen à ses côtés, ils sombrèrent dans le silence. Elle le regarda jouer avec sa tasse vide. On aurait pu croire qu'il allait ajouter quelque chose quand il leva la tête.

« Hello, tiens, le voilà. Regarde-le, dans son genre, c'est un type remarquable. »

Ellen quitta précipitamment la pièce. Elle ne répondit pas quand son père l'appela et pas davantage quand il s'éloigna avec M. Cave. Pendant un moment, son oreiller bleu lui apporta un réconfort.

Elle s'observa dans le miroir : ces derniers temps, elle ne faisait que froncer les sourcils. Avec une désinvolture pressée, elle enfila une vieille chemise de son père, des bottes et un pantalon olive. Dehors, elle se dirigea comme d'habitude vers la rivière, mais ralentit brusquement, cessa presque d'avancer, les yeux rivés au sol. Une grisaille paresseuse l'envahissait peu à peu.

Elle se faisait l'effet d'être une maison bien tenue sur le point d'être occupée. Et, à vrai dire, elle éclata de rire.

Bien après le pont suspendu, Ellen se retrouva dans un lieu à demi clôturé où elle ne s'était rendue qu'une seule fois, des années auparavant, avec son père, durant une de ces fameuses expéditions consacrées aux plantations. C'était l'extrémité septentrionale, là où la rivière décrivait une boucle vers l'est ; c'est en ce point le plus éloigné que Holland avait planté le gommier sceptre solitaire qui, certains jours, se voyait de la ville. À la droite d'Ellen, la colline descendait vers la rivière, toujours dans l'ombre l'une comme l'autre. Là, sur ce terrain plat et en pointe, il y avait des tas d'eucalyptus rares, tout à fait adultes à présent — une abondance secrète —, et qui, pour la plupart originaires du Territoire du Nord, s'épanouissaient en une masse d'astérisques voyants. Même Ellen s'arrêta pour les contempler.

Cet endroit avait coupé court aux ambitions des courtisans les moins préparés ; pour elle, néanmoins, M. Cave aurait volontiers débité leurs noms (leurs dénominations évocatrices : gommier potiron, veste jaune, gommier du barbier, woollybutt de Kakadu, gommier à manne, copain de table de Gympie, bois de suif dégénéré, *et cetera*) ; sauf que Ellen ne voulait plus jamais entendre prononcer le nom d'un eucalyptus.

Sur son chemin se trouvait un long serpent mulga en quête de chaleur ; Ellen le contourna.

Pourquoi s'était-elle aventurée aussi loin de la maison ? Elle n'aurait pu le dire. Cela n'avait pas été une démarche vraiment consciente. À la fin, elle s'arrêta devant un fragile mallee déployant de minces troncs, lesquels ressemblaient davantage à des branches ténues qui auraient été fichées en terre.

S'il m'approche maintenant, ici, décréta-t-elle, c'est qu'il me suivait. Indépendamment du reste, ça montrerait *jusqu'où* il serait capable d'aller pour elle. Et puis elle avait envie de le voir.

Dans la plupart de ses histoires, elle commençait à s'en rendre compte, il était question de filles et de mariages ; et ces histoires, elle le voyait, elle le pensait, s'adressaient de plus en plus à elle.

Cela suffisait à l'empêcher de spéculer sur l'inévitable progression de M. Cave.

La chemise d'ouvrier et le pantalon qui frisait le grisâtre ne réussissaient pas à neutraliser sa beauté mouchetée. Tout au plus la rendaient-ils encore plus saisissante. En fait, toute personne qui l'aurait rencontrée aurait conclu que, si elle était inconsolable, cela devait avoir un lien avec sa beauté.

Elle remarqua immédiatement ses cheveux mouillés et nota qu'il s'était manifestement servi de sa chemise pour les sécher.

« Je suis là », cria-t-elle.

Durant dix bonnes minutes, ils restèrent assis, se touchant presque en plusieurs points, sans rien dire. Une telle facilité de communication l'apaisa. Cela orienta aussi ses pensées directement sur lui. Pourtant, lorsqu'il prit la parole, il se montra presque aussi indécis que le gommier de barbier qui envahissait les lieux derrière eux ; il s'en inspirait et ses mots, qui se dévidaient avec lenteur, décrivaient des cercles pour chercher à la pénétrer, elle et personne d'autre.

Il fut question d'une histoire (« Avez-vous jamais entendu parler de... ? ») provenant, figurez-vous, de Mauritanie, un vaste pays désertique aux coutumes moyenâgeuses où il n'existerait aucun bâtiment de plus de deux étages. Dans une région rocheuse, tout près de montagnes peu élevées, *un ogre* retenait captive une jeune femme aux longs cheveux. C'était un violent personnage tout transpirant qui se mettait facilement en colère. Il vivait dans une cabane en pierre avec des meubles en pierre ; il y avait également des fenêtres en pierre. La jeune femme ne cessait de chercher des moyens de fuir. De toute évidence, la nuit était le moment le plus propice, mais l'ogre y avait pensé et dormait les dents serrées sur ses cheveux. Bien qu'elle ne perdît pas sa beauté, elle commença à désespérer. Par une nuit sans lune, un voleur s'introduisit dans les lieux et ôta, un à un, tous ses cheveux d'entre les dents du monstre. L'affaire l'occupa toute la nuit. Juste au moment où l'aube se levait, il dégagea le dernier cheveu et ils prirent la fuite ; et tandis qu'ils couraient sur le terrain pierreux, le jeune voleur découvrit sous ses yeux la pâle beauté dont il avait juste ouï dire et elle, tout à son bonheur d'être libre, se retourna et vit son sauveur, le voleur, pour la première fois.

Ellen avait écouté sans broncher.

Alors qu'elle s'attendait à ce qu'il continue ou du moins qu'il lui jette un coup d'œil, Ellen s'aperçut au contraire qu'il regardait droit devant lui, comme s'il l'évitait.

Sans changer de sujet, il poursuivit, en choisissant ses mots comme le voleur avait dégagé les cheveux un à un, de manière suffisamment prudente pour qu'Ellen s'en aperçoive et se redresse.

« La relation qui unit une femme et son coiffeur, commença-t-il par déclarer, est intime. Il paraît que les femmes racontent à leur coiffeur des choses qu'elles ne songeraient même pas à confier à leur mari. »

Pour souligner son ébahissement, il lâcha une toux discrète.

« Devant le miroir, une femme se remet aux mains du coiffeur, un homme, très souvent. C'est un événement, presque un cérémonial ; c'est dense, en partie sombre. La femme est dépouillée. Les cheveux constituent la seule et unique variable du visage. Et ce sont les cheveux qui encadrent — et particularisent — les divers concepts de la beauté féminine. Privée de ses cheveux, la femme est à nu : d'où le symbolisme par trop opportun d'une femme tondue avant de la faire défiler devant tous pour avoir couché avec l'ennemi.

« Chez le coiffeur, une femme suit dans le miroir les différentes étapes de sa mise à nu. Derrière elle, à chaque étape, le coiffeur est là. En premier lieu, la femme est lavée et rincée en un retour à la simplicité ; c'est ce qu'elle avait subodoré tout du long. À partir de là, elle surveille sa transformation d'un œil plein d'espoir critique. Le coiffeur s'habitue aux larmes. Même si la femme est contente du résultat, elle est également mécontente de savoir que son apparence nouvelle est *acquise,* qu'elle repose sur une illusion, un ajustement ingénieux dans la coupe ou un déploiement en plein ciel, pour ainsi dire. Toutes les femmes ont une opinion bien tranchée sur les cheveux des autres. Les cheveux sont synonymes de pouvoir. Dans l'histoire, quand certaines femmes gagnent de l'ascendant, il en va de même pour leurs coiffeurs. »

« Vos chaussures et vos cheveux. Vous pouvez oublier tout ce qu'il y a entre les deux », avait affirmé à Ellen une femme grisonnante derrière ses lunettes de soleil dans un bus à Sydney.

Sur cette longue rue menant à la ville, Oxford Street, Ellen avait essayé un salon aux murs argent et décoré de candélabres tandis que son père se baladait dehors ; et voilà à présent qu'elle écoutait cet homme assis à côté d'elle lui parler de la fille d'un gros éleveur de moutons de passage à Sydney, histoire qui racontait comment le pouvoir avait été transféré du coiffeur à cette innocente.

« Elle s'appelait Catherine. Elle venait d'une de ces vieilles familles de la Riverina, avec des racines qui remontaient très très loin. Belle ferme. La propriété était située au bord de la Murrumbidgee, et il y avait tellement de moutons dans les terrains que, vue sous certains angles, la terre paraissait avoir subi une permanente. Les parents de Catherine étaient séparés, au moins géographiquement ; la mère, dont la haute société de Sydney n'avait pas oublié la période garçonne, s'ennuyait naturellement à mourir dans la Riverina et passait la majeure partie de l'année à Sydney où elle avait un appartement de style espagnol à Elizabeth Bay. Là, elle se concentrait sur les bonnes œuvres et les déjeuners légers et améliorait son handicap au golf, pas toujours dans cet ordre-là d'ailleurs. Tous les ans en février, mois de la lassitude et des suées à Sydney, elle se rendait en Europe. Elle avait une beauté sévère, que le soleil avait malmenée ; de grosses sommes étaient régulièrement investies en toilettes et en cosmétiques ; elle avait quelques beaux bijoux dans les chambres fortes de sa banque.

« Quand Catherine eut dix-huit ans, le père se mit à l'emmener régulièrement à Sydney où il la laissait avec la mère. C'était une idée de la mère : penser que sa fille végétait à la campagne au milieu de moutons bêlants et de corbeaux croassants et qu'il lui fallait subir les avances maladroites des rustres du coin lui était vraiment insupportable. Sydney l'éloignerait des chevaux et la pousserait à trotter vers les robes de cocktail, même avec les épaules qu'elle avait.

« Lors de la toute première de ces visites — pour les ventes de yearlings —, la mère jeta un coup d'œil à Catherine et téléphona à Maurice, de Double Bay, pour qu'il s'occupe des cheveux de sa fille. Et ce devint une habitude à chaque fois que Catherine débarquait en ville.

« Il n'était pas facile à une femme normale de se faire coiffer chez Maurice, et encore moins quand elle s'y prenait la veille seulement. Il fallait qu'une femme soit quelqu'un ou qu'elle ait l'air d'être le fantôme de quelqu'un ou qu'elle prouve qu'elle avait de grandes chances de devenir quelqu'un un jour (via un mariage, de l'argent ou un divorce).

« Certaines femmes étaient trop terrifiées pour mettre le pied chez Maurice. Bien qu'il ne sourît jamais, il affichait un nombre d'expressions incroyable — féminines dans leur intensité, très proches de la grimace —, lesquelles étaient alors multipliées par les miroirs tape-à-l'œil. Il avait aussi une voix qui portait. La phrase qu'il employait le plus couramment était : “Et qu'est-ce que c'est que *ça* ?” Il donnait parfois une chiquenaude méprisante aux cheveux d'une femme. Il avait une rangée de cinq assistants qu'il supervisait en claquant dans ses mains, en passant à toute allure derrière eux, le doigt pointé, comme un grand maître des échecs se livrant à une démonstration contre une rangée de jeunes espoirs, et il y en avait toujours un pour lui verser un nouveau café turc dans la même tasse minuscule.

« Bien entendu, personne n'aurait toléré une telle tyrannie devant témoins si son œil avait manqué de fiabilité. Les femmes, cependant, ne bronchaient pas quand il se plantait derrière elles et saisissaient leurs cheveux dans la paume de ses mains, comme s'il soupesait de l'or, puis que, grimaçant, il prenait une rapide décision : coupez ici ou mettez des rouleaux ou faites une couleur. "OK ?" Entre ses mains, des femmes au visage fâché, fâché au point d'en être laid, se voyaient adoucies du seul fait qu'elles adoptaient un royal port de tête qui dépendait beaucoup de l'âge et de la quantité de cheveux avec lesquels jouer. À d'autres, il donnait l'allure de splendides galions et, aux jeunes blondes, il offrait, via les cheveux, la légèreté et la mobilité d'esquifs. Malgré sa sévérité théâtrale, Maurice écoutait et manifestait sa sympathie à chaque fois que le sujet basculait vers un problème plus personnel que les cheveux. De toutes les banlieues de l'est — des banlieues portant des noms tels que Vaucluse, Bellevue Hill, Point Piper —, les femmes couraient vers son salon voisin du magasin de sacs et de chaussures suisses de Double Bay et certaines étaient connues pour se garer en double file au milieu de la rue, n'importe quoi pour ne pas être en retard à leur rendez-vous.

« Catherine ne savait rien de tout cela.

« C'était une créature quelconque qu'on aurait crue assise dehors sous un arbre.

« Quant à sa mère, c'était manifestement une cliente

spéciale de chez Maurice. D'un geste solennel, ce dernier confia le lavage des cheveux de Catherine à son meilleur apprenti, un garçon guère plus vieux qu'elle, qui voulait être le premier à Sydney à défendre résolument le retour des favoris longs coupés net. Il s'appelait Tony Blacktin. Il balayait par terre aussi. Catherine l'observa dans le miroir pendant qu'il parlait. Il commença par imiter bruyamment Maurice, ce qui lui vint automatiquement comme une sorte de franchise insouciante. Elle ne pipa mot. Peut-être était-il mal adapté à une carrière dans la coiffure ? Et Blacktin : d'où venait donc ce nom ?

« Subitement, il prit Catherine à partie :

« "Depuis quelque temps, je pense à essayer une moustache. Qu'en dites-vous ?"

« Avant qu'elle pût répondre, il enchaîna :

« "Le patron me flanquerait à la porte."

« Il poursuivit :

« "Je suis né à Sheffield. Et vous ?"

« Encouragé par la gentillesse attentive dc Catherine, il lui raconta des choses sur sa famille. Sa mère était allergique aux pêches et était toujours en retard. Dans le temps, le père bouillait régulièrement : "Toi, tu seras en retard à ton enterrement !" Il avait essayé de vendre des glaces dans une camionnette à Liverpool, mais s'était lassé de sa femme et des gamins et, la dernière fois qu'ils avaient entendu parler de lui, il jouait du piano dans un night-club quelque part en Birmanie. Un autre Blacktin — un certain Cyril — était censé être intelligent. C'était un scientifique qui envoyait toujours son dernier livre, emballé dans un sac en papier kraft.

« Il était encore en train de jacasser sur ce mode-là quand Catherine se pencha en arrière et ferma les yeux. De l'eau chaude lui coula sur le crâne. Des doigts vigoureux aidèrent au rinçage de ses lourds cheveux mouillés.

« Presque aussitôt, les doigts hésitèrent ; et Catherine se rendit compte qu'il avait cessé de parler.

« Elle arrivait tout droit de la campagne et n'avait même pas eu le temps de changer de robe.

« L'apprenti coiffeur était en train de fixer la cuvette qui appuyait contre le cou de la jeune fille. Avec le rinçage de la poussière, l'eau de rivière d'un brun paresseux tournoyait dans la cuvette où, chaude et présentant la forme d'un lac de retenue, elle s'élevait au niveau des eaux brun pâle — comme translucides à la lumière du soleil — d'un barrage. Un reste de sable clair s'était déposé au fond.

« Une eau couleur de campagne comme celle-là ne se voyait jamais dans un environnement urbain ; certainement pas dans le salon de coiffure de Double Bay. Pour le jeune apprenti qui balayait aussi par terre, elle évoquait l'espace, les champs en été, les arbres isolés. Les mains dans l'eau boueuse, il s'attendait à tomber sur une écrevisse ou une feuille de gommier.

« À travers l'eau de la campagne qui s'écoulait par le biais des cheveux de Catherine, de plus en plus d'images d'herbes ondoyantes et de sécheresse se présentèrent à son imagination. Croyant qu'elle avait toujours les yeux fermés, comme toutes les autres femmes, il garda la main posée sur sa tête mouillée ; il aurait pu passer toute la journée comme ça. Depuis le début, elle se montrait gentille envers lui.

« Catherine, de son côté, le jugeait amusant. Il était différent. Certains auraient peut-être trouvé son visage un peu bosselé et *favorisé* sur les côtés ; mais, dans le miroir, Catherine voyait une attirante fermeté hésitante. Ce devint une habitude à chacun de ses séjours à Sydney de se rendre directement au salon où Tony attendait impatiemment de lui laver et de lui rincer les cheveux.

« Pour prendre rendez-vous, Catherine postait désormais les cartes gaufrées de la famille et demandait M. Blacktin.

« Il ne savait trop s'il était amoureux d'elle ou de la rivière ou de l'idée de la campagne brune qui coulait à travers ses cheveux. Après avoir un peu hésité, elle se mit à sortir avec lui pour partager des repas légers et, ensuite, se rendre dans un bar où il lui racontait de nouvelles histoires sur sa famille et ses voyages, ainsi que des histoires qu'on lui avait racontées ; il en inventa même quelques-unes : n'importe quoi pour l'amuser, tenir son intérêt en éveil. Et, du fait du temps qui s'écoulait entre ses visites, Catherine s'aperçut qu'elle était presque aussi impatiente de le revoir et d'entendre sa voix que de retrouver la ville elle-même. En outre, elle ne connaissait pratiquement personne d'autre à Sydney.

« Au bout d'une année, d'après l'histoire, Catherine s'assit de nouveau sur son siège et lui dit :

« "Je veux les avoir courts, coupez-les aussi court que possible."

« Soit elle espérait qu'il la suive inconditionnellement, soit elle voulait réduire le volume de poussière de campagne qu'elle avait dans les cheveux ; choquer sa mère de manière édifiante constituait peut-être un avantage annexe.

« Or, Maurice avait interdit à Blacktin de procéder à une quelconque coupe — cet honneur était réservé à des poètes qui se voyaient autorisés à manier de minuscules ciseaux après des années d'apprentissage laborieux. Mais tandis qu'il effectuait une de ses inspections scrupuleuses, Maurice vit son apprenti, les coudes déployés et tirant la langue comme un homme occupé à tracer une ligne blanche entre des briques, et nota d'un coup d'œil le physique totalement modifié de Catherine et le tas de cheveux châtain clair au pied de son siège. Tony s'appliquait tellement qu'il ne remarqua même pas Maurice ni derrière lui ni dans le miroir. Catherine, oui ; et la façon dont elle soutint son regard avec calme l'obligea à passer son chemin sans dire un mot.

« Maurice était un homme subtil. Durant quelques minutes, il continua à observer le tandem de loin, Catherine et son apprenti avec ses absurdes favoris.

« Ils étaient heureux ensemble. L'anticipation colorait leur intimité. Laquelle se situait à un niveau bien plus profond que l'intimité dont jouissaient d'ordinaire les coiffeurs, il le voyait bien. Ils étaient jeunes, et il enviait leur innocence. Néanmoins, il disparut dans son minuscule bureau et, après un bref regard sur ses mains, téléphona à la mère de Catherine, renforçant par là même la loyauté déjà avantageuse qu'il y avait entre eux.

25

Forrestiana

Un arbre de petite taille, ornemental.

En Australie-Occidentale, les gens les plantent dans leurs jardins pour la tache de fleurs rouge maranello.

Suffisamment petits pour, dans certains cercles, être traités de *buissons.*

« Il y a quelques années... dans une ville pas très éloignée de Melbourne, au nom proche de celui qui avait eu raison de toutes les supputations de Sherlock Holmes, vivaient une femme toute mince au nez pointu et son père, le notaire de la bourgade.

« Elle s'appelait Georgina Bell.

« Alors qu'elle avait une petite trentaine, Georgina Bell se rendit en Europe pour la première — et dernière — fois de sa vie. C'était l'époque où les Australiens fuyaient leur pays vide à bord de paquebots P&O pleins à craquer — semblables en termes de sensations à l'horizontalité des trains en mouvement, sinon qu'ils avançaient sur un liquide houleux et profond.

« Une chose étrange se produisit sur le bateau.

« À Port-Saïd, où la chaleur s'était subitement figée, elle descendit à terre. Là, elle se vit canalisée, comprimée, manche-tirée et vivement interpellée après par des centaines de mendiants, de colporteurs, de parasites et d'enfants en chemise déchirée ; c'était un véritable bazar. Un visage basané se détachait au milieu de tout cela et la fixait.

« Il la suivit dans le souk. Mais là, le bruit et les odeurs, et tous ces gens qui refusaient de la laisser tranquille — ce fut trop. Elle remonta à bord, s'enferma dans sa cabine et s'efforça de se reposer dans la chaleur. Presque aussitôt, elle se redressa et découvrit le même homme assis à côté de sa couchette. Ses yeux étaient rivés sur elle. Il avait des lèvres charnues, légèrement humides, qui sentaient vaguement le clou de girofle.

« De dehors montait le bourdonnement de ce lieu étranger. Il ne connaissait probablement pas un seul mot d'anglais, se dit-elle par la suite. De dessous sa tunique, il sortit un poulet vivant, comme un magicien. Sans sourire, il le caressa. D'un geste lent, il déplia le bras et posa sur sa cuisse le volatile qui resta sur place, comme hypnotisé.

« À cet instant-là, il aurait pu lui faire n'importe quoi. Mais l'équipage du bateau fit irruption dans la cabine ; elle ne comprit jamais comment ni pourquoi.

« Après un mois en Angleterre, Georgina Bell rentra

en Australie. Ainsi qu'elle répondait à tous ceux qui lui posaient la question : "Londres, bien sûr, était fascinant, mais mon père me manquait, et le jardin."

« La demeure familiale était une vieille bâtisse en pierres grises, avec des roses en bouton, des urnes et des charmilles.

« Avant son voyage, Georgina n'avait accordé qu'une attention polie à l'associé principal de son père, un homme marié avec une moustache soignée et quatre enfants. À présent, elle s'apercevait qu'il disait des choses insolites qui, souvent, l'amusaient beaucoup. À plusieurs reprises, lorsqu'elle l'accompagna dans d'autres villes pour des questions de procédure, ils dînèrent ensemble. À la grande surprise de Georgina, et après une vague résistance, elle devint sa maîtresse.

« Georgina avait du mal à croire à ce qui s'était passé. Elle ressentait soudain une plénitude débordante, une douceur envahissante et un intérêt profond pour tout ce qui le concernait. Elle essaya de traduire cela en mots, mais se contenta d'en rire. Avec lui, elle pouvait demander ou dire n'importe quoi : jamais, elle n'avait été aussi proche de qui que ce soit. Elle avait une idée très claire de son physique, et floue en même temps ! Elle avait envie de le voir constamment, mais c'était impossible. Ils ne pouvaient que grappiller des moments ensemble. Elle rêvait de lui tricoter des affaires, de lui offrir une cravate et un slip ; elle aurait veillé à ce que ses chaussures brillent bien. Georgina se demandait si celle qui était son épouse depuis vingt ans le comprenait aussi bien qu'elle. Elle souffrait de le voir assis avec elle à l'église, juste de l'autre côté de l'allée, en compagnie de leurs enfants. Là, et dans le bureau de son père, ils ne pouvaient se manifester qu'une extrême politesse.

« Durant près de deux ans, ils demeurèrent amants. Sans prévenir, par un banal samedi après-midi, il tomba mort en pleine rue. Il n'était même pas trop gros. Georgina ne pouvait dire — ni à son père ni à quiconque en ville — qu'ils étaient amants. Elle ne pouvait même pas montrer son chagrin en public. "Et la terre l'engloutit." Il fut enterré dans le jardin, là, à l'ombre de l'aubépine.

« À chaque jour qui passait, Georgina avait envie de hurler.

« Sur sa tombe, elle planta des fleurs dont les minces racines plongèrent sous son corps. Tous les jours, Georgina les arborait sur son sein, des fuchsias rouges, et elle en mettait quelques-unes dans un vase à côté de son lit.

« Ces couleurs vives, elle pouvait les exhiber fièrement en public ; et, au bout d'un moment, elle parut se remettre. »

26

Platyphylla

Lentement, ils s'éloignèrent du gommier fuchsia.

La précision avec laquelle il avait raconté l'histoire du notaire donnait à penser que c'était une histoire vraie, et Ellen imagina Georgina Bell sous les traits d'une femme pâle dans des bruns mortifiés, et son nez long pareil à une craie trempée dans de l'encre rouge, et se demanda comment, après cela, une femme pouvait véritablement changer. Il y avait aussi le père dans sa colossale dignité verticale. Elle avait une foule de questions à poser.

En plus, cet homme frôlait sa hanche et son épaule de temps à autre — sans doute ne s'en rendait-il pas compte.

Elle voyait de loin qu'il avait un côté gentil ; pourtant, il n'y avait rien de gentil dans la manière abrupte dont il arrêtait les histoires, au moment précis où elle avait envie d'en savoir plus. Cela correspondait à sa situation présente, dont on pouvait juste dire qu'elle était en suspens, pas réglée. Sa gentillesse apparente se résumait peut-être tout au plus à une politesse nécessaire, à une reculade de quelques pas. Après tout, il passait la plupart de ses journées au milieu des arbres avec elle, une femme ; tous les deux, sans personne d'autre alentour.

Elle avait envie de lui parler.

« Nous avons davantage de sourires aujourd'hui. Comment cela se fait-il ? »

Retenant un sourire qui, pourtant, lui semblait plus s'apparenter à un froncement de sourcils, elle soutint son regard.

Le gommier fuchsia avait été planté devant la fenêtre d'Ellen à des fins ornementales. Pour la première fois, l'inconnu foulait en sa compagnie les gravillons devant la porte d'entrée. Son père pouvait à tout moment apparaître au coin de la maison — avec M. Cave. C'était assez pour déclencher, chez Ellen, une sorte de gaieté imprudente.

« C'est ici que je dors », déclara-t-elle.

Elle ne sut pas trop s'il avait entendu. Toute son attention semblait soudain monopolisée par un mallee rouge (*E. socialis*) plutôt quelconque.

Il passait tellement de temps avec elle, sous et hors le couvert des arbres, sans qu'elle sache exactement pourquoi, que c'en était presque exaspérant. Aux yeux d'Ellen, il ressemblait à un perpétuel vent chaud qui aurait exercé une sorte de pression constante et agréable sur différentes parties de son corps en plaquant sa robe contre les creux ; et la facilité avec laquelle il changeait de sujet rappelait aussi le vent qui, malgré ses brusques changements de direction, ne cessait pourtant jamais de l'envelopper.

Toujours à proximité des eucalyptus de petite taille, il se mit alors à raconter, d'une voix pensive, comment, dans une banlieue lointaine de Hobart, un actuaire travaillant pour une compagnie d'assurances très connue avait eu besoin d'un escabeau pour courtiser une veuve qui passait tous les jours devant chez lui pour se rendre à son travail et en revenir. Pour attirer son attention, il entreprit, selon l'histoire, de tailler son énorme haie et son pin parasol afin de leur donner des formes d'animaux vraiment stupéfiantes, à la façon dont certains oiseaux tropicaux s'épuisent à construire et à décorer des nids compliqués ou à effectuer de laborieux sauts périlleux dans le ciel « Que ne ferait donc pas un mâle pour attirer l'attention d'une femelle difficile à séduire, s'écria-t-il.

« Le problème, poursuivit-il, c'était que lorsqu'on étalait son obsession sous la forme d'une taille de haie romantique, on n'attirait pas les gens qu'il fallait. De tout Hobart, du continent australien et des États d'Asie dotés d'une certaine conception du travail, ils vinrent par cars entiers : des gens munis d'un appareil photo. Mais la veuve, comment réagit-elle ? »

Ellen ne put s'empêcher de sourire devant son ton incrédule, mais trop de questions la préoccupaient ; elle décida alors qu'au lieu de continuer à se promener au milieu des arbres jusqu'au moment où il déciderait de s'en aller, en *mettant les bouts (de bois)* à sa façon — à la manière abrupte dont il terminait ses histoires —, elle allait faire demi-tour et rentrer.

« Il va falloir que j'y aille. »

Sans chercher à se dépêcher, elle traversa l'allée de gravillons. Au loin, elle aperçut son père et la silhouette reconnaissable de M. Cave — plus grande — à côté du brise-vent. M. Cave parut soudain s'arrêter, se tourner et tendre le doigt en l'air ; lorsqu'elle atteignit la porte principale, Ellen fut saisie d'un hoquet désespéré qui, vu de dos, n'aurait pu passer que pour des pleurs.

Le seul et unique gommier blanc se dressait un peu en retrait du méandre caché, près du bassin naturel où Ellen croyait nager en secret ; là, derrière les gigantesques gommiers rouges de rivière, il offrait un éclat d'une blancheur de porcelaine, pareil à un rideau qui s'entrouvre et révèle les jambes nues et généreuses d'une femme.

Ellen avait passé toute la matinée dans sa chambre. Elle avait entendu les murmures de son père et de M. Cave. D'ici la fin de la semaine, il aurait fini d'identifier les quelques arbres restants. Ellen avait remarqué que son père évitait son visage. Pour lui aussi, cela avait été une épreuve difficile. Et voilà que la perspective d'une maison vide se déployait devant lui.

Ellen entendit claquer la porte comme son père et le soupirant qui-y-était-presque se mettaient en route.

Elle ôta sa robe et passa une chemise et un pantalon, puis remit une autre robe. Entre-temps, elle fixa le miroir. Elle s'étudia avec des chaussures différentes. Il n'y avait jamais assez de lumière dans sa chambre ! Pourtant, ce corps qui rayonnait d'une pâle complétude, elle l'acceptait.

Elle était toujours surprise qu'il réussisse à la trouver, où qu'elle aille parmi les arbres. C'était comme s'il avait plusieurs mains. Surgirait-il de la gauche ou de la droite ou de derrière ? Elle ne le savait jamais. À n'importe quel moment, il était capable de se laisser tomber d'un des arbres, juste devant elle, comme Errol Flynn ou Tarzan.

Il y avait maintenant longtemps qu'elle avait passé l'heure où, d'habitude, elle sortait de la maison. Les ombres avaient entamé leur repli de l'autre côté des arbres. Le coton de sa robe lui paraissait chaud de partout, comme si on venait de le repasser.

Ellen se dirigea à grandes enjambées vers la rivière et s'enfonça au milieu du conglomérat que formaient les arbres de son père. Près du bassin où elle nageait, elle ralentit. Cet homme qui se montrait suffisamment intéressé pour, jour après jour, la retrouver : dire que, la veille, elle lui avait simplement tourné le dos et s'en était allée. Qu'en avait-il pensé ? Et s'il ne prenait plus la peine de se manifester — que se passerait-il alors ?

L'eau était claire, les bouts de bois et les pierres velus au fond paraissaient grossis. Modelée par l'arche que faisaient les branches des arbres, la lumière chaude lui tatouait les bras et, en entrant dans la rivière, Ellen se représenta son visage marbré en écaille de tortue, lui aussi. Elle sentit se diffuser en elle une affinité liquide avec le flux de la nature. C'est une vérité que l'on découvre aisément dans une rivière. Le flot de l'eau appuyait doucement contre son corps, patiente pression, authentique insistance, qui toujours prévaudrait, et Ellen s'éclaboussa, se laissa flotter et recommença à s'éclabousser en pensant nonchalamment à lui, heureuse à l'idée que ce qu'elle acceptait ne pût guère être mal.

Le corps d'Ellen avait un aspect surprenant entre les arbres. Il était pâle et doux de partout, alors que les troncs alentour n'étaient que dureté. La chaude poignée de poils entre ses cuisses et le reste de sa douceur correspondaient à la façon dont on peut percevoir certains animaux, des lapins par exemple, devant des rochers.

Face au soleil, Ellen se sentit s'ouvrir progressivement, à l'œil du moins. Négligemment, elle toucha ses poils pour voir s'ils étaient secs. Après, elle se contorsionna pour inspecter son talon. N'ayant rien d'autre à faire, elle s'attardait.

Entourée de tous côtés par d'immuables troncs gris, elle n'arrivait pas à se rappeler exactement où elle avait laissé ses vêtements.

C'est alors qu'elle entendit des pas. On aurait cru qu'il piétinait tous les morceaux d'écorce abandonnés qu'il pouvait trouver. Ellen se retourna et lui fit face. Si elle se savait nue, elle n'avait pas pleinement conscience de sa beauté mouchetée.

Parvenu à un bras de distance, il s'arrêta.

Elle avait envie qu'il commence immédiatement une nouvelle histoire, peut-être parce qu'elle imaginait que cela allait habiller sa nudité, alors même qu'il détournait vaguement les yeux. Sur un bras, elle remarqua sa robe jaune et d'autres effets.

« Je me souviens qu'une fois... »

Se ravisant, il pivota.

Sa main avança simplement et lui caressa la joue pour la première fois avant de remonter vers ses cheveux mouillés.

« Pourquoi vous êtes-vous sauvée hier ? »

Ellen hocha la tête et dut lever le bras, elle aussi ; car, sans prévenir, il baissa la tête et appliqua une douce *morsure* animale sur son bras, juste assez pour lui laisser une marque.

« Si ça se trouve, j'ai trop parlé, dit-il, l'air renfrogné. Il se peut que je me sois laissé emporter. »

Tandis qu'il commençait à lui faire enfiler ses affaires par la tête, un vêtement à la fois — ce qui la laissait à moitié dévêtue —, alors qu'il brandissait le reste de ses sous-vêtements, Ellen, toute à sa concentration, se mit à trembler, mais ne se soucia pas de savoir s'il le remarquait. Elle baissa les yeux vers ses oreilles et son cou.

Elle leva les bras pour qu'il fasse glisser la robe.

Pour se concentrer sur les gros boutons, il s'accroupit devant elle. Et Ellen commença à se sentir douce et chaude, prête aussi. Un bref instant, elle songea à la femme qu'il appelait Georgina, celle dans la cabine exiguë, avec le poulet chaud pressé contre ses cuisses.

Derrière eux, la rivière bruissait, interminable soie sur les galets.

Il y a toujours des enfants perdus en forêt. Un pied est frappé par une flèche, mordu par un serpent, ou bien le talon se retrouve meurtri, le chausson tombe. Certaines bottes sont dotées de propriétés magiques qui leur permettent d'avancer à grands pas. Toutes les belles princesses ont une méchante marâtre. Jolie illustration que la femme aux trois seins, un pour chacun des hommes de sa vie.

« À Drummoyne, dans une maison blanche au toit plat, dit-il en délaissant les boutons et en cherchant les chaussures du regard, vivait une sommité internationale en aérodynamique et ses trois grandes filles. Son nom était quelque chose dans le genre Shaw-Gibson, DFC. C'était un homme avec moustache : il aurait dû être fait chevalier. Des troupes de jeunes hommes venaient régulièrement chez lui, pas tant pour voir ses filles que pour essayer de soulever la petite météorite exposée sur son buffet.

« Qui préférez-vous ? Lui ou M. Clem Sackler qui avait des pellicules ? Clem Sackler était un petit bonhomme aux sourcils roux qui vivait seul dans une des maisons mitoyennes de Darlinghurst. Enfin, pas tout à fait seul. »

Ellen avait décidé de ne rien faire pour l'aider. Sa nudité lui donnait la suprématie.

« En Australie, après la guerre, à l'époque où les hommes comme les femmes portaient des chapeaux, la coutume voulait aussi qu'on installe dans la cour de derrière une grande volière remplie de petits oiseaux ou, à défaut, une cage sur le porche de derrière renfermant un perroquet assourdissant. Au bout d'un moment, cette coutume — qui soulève toute sorte de questions — céda la place à une obsession de poissons tropicaux en aquarium et, durant un bref moment, ce fut la grande mode d'avoir un lapin angora dans la cour.

« Clem Sackler avait des canaris. Quelle que fût l'heure, des douzaines de ces petites créatures voletaient et lançaient des trilles dans différentes pièces de sa maison. Il y avait des jours où on les entendait de la rue. Dès qu'il rentrait de son travail au chemin de fer, il s'occupait de leur redonner à boire et à manger et, par intervalles, en laissait sortir quelques-uns pour qu'ils fassent de l'exercice. Telle était la vie de Clem Sackler. »

Après avoir brusquement examiné l'un des orteils d'Ellen, il poursuivit.

« En tant qu'éleveur, Sackler avait une petite réputation parmi les connaisseurs. Des années durant, il avait essayé d'élever un canari blanc. Tous ses espoirs reposaient sur un mâle hyperactif, gris avec des traînées chamois, qu'il dorlotait. Parmi ses épaisseurs de plumes, Sackler apercevait un éclair de blanc. Les autres canaris étaient verts ou jaunes et partageaient des cages sur le porche de devant où les volets ouvraient sur les frangipaniers et, dans la cuisine, il y avait d'autres cages empilées les unes sur les autres, comme de modestes gratte-ciel. Il devait avoir cinquante ou soixante oiseaux.

« Le mâle gris occupait une grande cage dotée d'un miroir dans la chambre de Sackler à l'étage. »

Tandis qu'il dessinait du doigt les contours de son pied, Ellen se mit à sourire d'un air presque heureux. L'idée de ces nombreux petits oiseaux.

« Un soir, en été, Sackler rentra chez lui, vanné. Comme toujours, il monta à l'étage et ouvrit la cage pour que son oiseau gris puisse prendre de l'exercice, activité pour lui vitale. Puis il s'allongea sur son lit et fixa le plafond qui avait besoin d'une couche de peinture. Tout l'endroit s'en allait à vau-l'eau. Il fit glisser sa langue sur le devant de ses dents. Un bref instant, il sifflota quelques fausses notes, habitude prise à force de vivre avec un si grand nombre de canaris. Pendant qu'il était allongé là dans la chaleur, il prit conscience du fait que sa vie, du moins au cours des dix dernières années, s'était beaucoup trop subdivisée en petites unités — les multiples petits oiseaux — impersonnelles et uniquement axées sur la nourriture et les babillages. En apparence, elle semblait suivre une ligne directrice. En réalité, elle n'avait rien sur quoi se focaliser.

« Ce fut une révélation pour le "canariologiste".

« Il se leva et ouvrit la fenêtre. Il devait être à moitié endormi. À peine eut-il senti la brise qu'il poussa un cri rauque et referma brutalement — mais trop tard. Son canari gris qui voletait dans la pièce avait saisi l'occasion au vol et, tout juste effleuré par la fenêtre qui se fermait, avait réussi à s'enfuir.

« Du balcon, il n'y avait pas trace de l'oiseau. Sackler descendit en courant au rez-de-chaussée et arpenta la rue d'un bout à l'autre en scrutant les caniveaux et le dessous des voitures, en fouillant du regard les petits jardins des maisons — bétonnés et envahis de vieilles motos dans ce quartier de Sydney.

« Au cours des jours suivants, il sillonna les rues, frappa aux portes et explora les endroits les plus susceptibles de l'abriter. Il laissa un mot sur la devanture, couverte de crottes de mouche, de l'épicerie fine où il achetait ses cigarettes. Au bout d'une semaine de ce manège, il se mit à se demander s'il connaissait quoi que ce soit sur les habitudes du canari. Il commença par se faire à cette perte. Sans doute un chat l'avait-il attrapé. »

Il bâilla. Ellen vit la largeur de la mâchoire. Il aurait pu s'endormir à ses pieds séance tenante. Elle faillit tendre la main et lui caresser les cheveux. Mais il poursuivit la très triste histoire de l'éleveur de canaris.

« Un vendredi soir, M. Clem Sackler, de retour de Kings Cross, rentrait chez lui à pied. Il faisait nuit. Pas très loin de sa rue, quelques maisons mitoyennes avaient leurs lumières allumées ; il y avait des gens assis à des tables, d'autres qui circulaient çà et là. Une fenêtre était en partie masquée par un arbre. Au début, il crut que le mouvement rapide était celui d'une chauve-souris frugivore — il y en a des tas à Darlinghurst, dans l'est de Sydney —, mais cette agitation provenait de l'intérieur d'une pièce blanche. Une femme était installée au piano et, comme elle se mettait à jouer, le même volettement flou réapparut et se déploya au rythme de la musique avant de se poser en douceur sur l'épaule de la femme. Sackler approcha de la fenêtre. Il n'en croyait pas ses yeux.

« La femme arrêta de jouer, se leva et tourna le dos. Elle avait la taille fine et ses cheveux étaient remontés en chignon. L'oiseau perdu de Sackler sur l'épaule, elle quitta la pièce.

« Sackler se dirigea tout droit vers la porte d'entrée et s'apprêta à sonner.

« La sonnette était en laiton brillant, et le paillasson de la même couleur que les sourcils de Sackler. Des camélias fleurissaient dans deux grands bacs. Et les fenêtres arboraient des rideaux impeccables.

« En dessous de la sonnette, on lisait HEIDE KIRSCHNER, PIANO.

« Il revint le lendemain matin. À plusieurs maisons de distance, il entendait le piano. On aurait cru qu'elle n'arrêtait jamais de jouer. Par la fenêtre, il la vit, assise à côté d'un élève, le doigt pointé sur la partition, en train de faire une démonstration. Pendant qu'il l'observait, le canari gris se posa sur son épaule.

« Sackler repartit. Il fallait qu'il réfléchisse. Il avait quarante-huit ans. À chaque fois qu'il revint devant cette maison, le canari était juché sur l'épaule de cette femme. Il finit par appuyer sur la sonnette. Il avait fait nettoyer son costume et portait une cravate ; le même jour, il se retrouvait assis à côté de Mlle Kirschner, en train d'apprendre à jouer du piano.

« Le canari gris l'avait-il reconnu ? Cramponné à Mlle Kirschner, il semblait le foudroyer du regard ! Les canaris adorent tous les rythmes musicaux, lui dit-elle alors que c'était lui qui était censé être un expert en canaris. Même Bach, ajouta-t-elle en souriant. Elle entama le début d'une fugue, et Sackler suivit des yeux son oiseau qui fit le tour de la pièce à toute vitesse avant de revenir se poser sur l'épaule de Mlle Kirschner.

« Très vite, Sackler s'attacha aux sonorités de son accent marqué et à son sérieux pour tout ce qui touchait à la musique, de sorte qu'il ne pouvait s'empêcher d'écarquiller les yeux quand elle cédait à un soudain accès de gaieté enfantine.

« Il fallut deux mois de leçons de piano pour que l'oiseau se pose sur l'épaule de Sackler. Ce dernier avait réussi à maîtriser la gamme et s'attaquait alors, avec une terrible maladresse, à des mélodies simples. Son professeur avait de profondes, profondes réserves de patience. »

Encore à moitié dévêtue, Ellen cédait à un contentement rêveur. C'était toujours comme ça sous un arbre quand on écoutait des histoires. Elle se rendit compte qu'elle souriait.

« En ce temps-là, poursuivit-il, l'éleveur de canaris avait presque tous les jours l'occasion de contempler la pâleur parfaite des bras de Mlle Kirschner. »

Il souleva le coude d'Ellen.

« Il n'avait encore jamais vu une peau pareille, si fine, si lisse que ses bras se fondaient dans les touches ivoire. Il ne pouvait détacher les yeux de ses bras nus. Une petite morsure — il s'éclaircit la gorge — aurait laissé une marque permanente.

— J'écoute, déclara Ellen.

— Désormais, le canari choisissait soit son épaule, soit celle de Mlle Kirschner. Cette dernière essayait d'inciter l'oiseau à picoter l'oreille de son élève. Il était temps que Sackler prenne une décision. Après les leçons, maintenant, elle lui présentait des assiettes bleues garnies de petits gâteaux trempés dans du miel et s'enquérait de sa santé. Les jours où elle portait un chemisier orné de multiples broderies ou une broche spéciale, elle lui demandait son avis. De plus en plus, Sackler ressentait l'attrait de l'habitude, du passage à l'improviste, juste pour être là, indépendamment des leçons.

« Pourtant, il lui suffisait de jeter un coup d'œil sur la peau d'albâtre de Mlle Kirschner et ensuite sur l'ardent oiseau mâle pour que lui revienne sa résolution — la raison de sa présence en ces lieux.

« Et ainsi, un dimanche soir, quand elle quitta la pièce sans cesser de parler, il ôta l'oiseau de son épaule, le glissa, tout bataillant, dans la poche de sa veste et s'en alla.

« Quand il repassa devant la fenêtre, le salon au piano brillamment éclairé était toujours vide. Il garda la main serrée sur l'oiseau dans sa poche. Et rentra précipitamment chez lui.

« À l'étage, il remit le canari dans sa cage. Puis il demeura un moment allongé sur son lit. Il repensa à la nuit où il avait pour la première fois posé les yeux sur le salon de la pianiste, vu l'oiseau voleter comme un papillon, remarqué la taille fine de cette femme. Elle aussi vivait seule. Il se demanda ce qu'elle faisait à ce moment précis. Si cette affaire la déconcertait, elle l'avait déconcerté lui aussi. Maintenant que l'oiseau mâle avait regagné la sûreté de sa cage, il pouvait s'interroger sur celles des femelles du rez-de-chaussée qu'il valait mieux accoupler avec le mâle. Il s'était manifestement entêté à faire quelque chose qui n'allait pas ; ça n'avait pas marché. En bas, le pépiement des canaris paraissait curieusement assourdi après le jeu de Mlle Kirschner au piano.

« Le lendemain matin, Clem Sackler se réveilla de bonne heure, ôta le peignoir dont il drapait toujours la cage pour la nuit. Le mâle gris gisait sur le fond métallique, couché sur le flanc, mort. »

Ellen se mit à faire les cent pas.

« Où avez-vous entendu cette histoire ? Quelle horreur. Je plains quelqu'un comme ça. Je crois que vous l'avez inventée. »

Ellen s'arrêta devant lui.

« Elle est vraie ? »

Là, il put la regarder de près. Il commença à se promener entre les multiples taches de naissance et grains de beauté. Quant aux questions d'Ellen, elles semblaient le pousser à se préoccuper de la manière dont elle était habillée. L'espace d'un instant, faute de vérifier du regard, elle ne sut plus trop si elle était boutonnée ou pas.

Sa voix s'éleva :

« Quand l'éleveur de canaris frappa à la porte de Mlle Kirschner, il avait des pellicules sur les épaules. Elle, louchait d'un œil, quelque chose de ce genre. Et elle avait, en matière de meubles, ce goût atroce qu'on trouve en général chez les musiciens. Comment naît chez quelqu'un une attirance pour quelqu'un d'autre ? C'est un mystère. Qui peut répondre à cela ? Ce pourrait être surprenant, sauf que ça se produit tout le temps. Il suffit parfois d'une voix, de la voix d'un homme par exemple, entendue dans le noir ou derrière une porte. Mais ce doit être une combinaison de facteurs. Qu'en pensez-vous ?

— La voix ne suffit pas, moi, je ne le crois pas.

— Il doit y avoir des cas où l'attirance n'est pas délibérée. Cela arrive, c'est tout, suggéra-t-il. Ça ne s'explique pas — c'est un vrai mystère. Il n'y a pas de logique là dedans. »

Ce fut assez pour lui faire hocher la tête.

« De logique ? »

Elle avait presque envie de rire.

« Je veux dire qu'on n'a pas le choix dans ce domaine. »

La conversation allait et venait, et ombre et lumière tombaient à l'oblique entre les arbres. Normalement, il y avait longtemps qu'il aurait dû être parti. Il avait manifestement envie de s'attarder. L'air de nouveau renfrogné, il évitait de la regarder.

« Et vous ne savez pas si vos histoires sont vraies ou pas ? »

Elle attendit sans penser à quoi que ce soit d'autre.

Les choses demeurèrent donc dans cet état d'irrésolution intime, ce qui peut aussi s'interpréter comme une forme de mystère.

27

Diversicolor

« Dans une petite ville à l'ouest de Sydney, il y avait un Grec qui possédait un café dans la rue principale. La moitié de la salle était subdivisée en box équipés de tables fixées au sol sur lesquelles trônait un plat en verre garni de morceaux de pain blanc. Les murs avaient reçu une couche de peinture de la couleur de la mer et, à côté de la machine à cappucino, une photographie arrachée à une revue montrait un monastère blanc perché sur une colline aride.

« La femme du Grec faisait la cuisine dans le fond, sa fille servait, et lui restait assis toute la journée derrière la caisse à surveiller ce qui se passait.

« La jeune fille brune portait les cheveux longs et des chemisiers profondément décolletés — parfois un T-shirt. Elle ne mettait jamais ni robe ni jupe. Elle avait l'air grognon. C'est à peine si elle disait un mot.

« Le Grec avait installé sa famille à l'intérieur des terres, le plus loin possible de la mer. C'était pour éviter que l'on voie sa fille en maillot de bain. D'après les rumeurs, une tache de vin dénaturait une partie de son corps, encore que personne — assurément pas un seul des crétins qui passaient leurs soirées au café — n'eût vu une telle marque de ses propres yeux.

« Il ne se produisait jamais grand-chose en ville. Les quelques jeunes hommes qui restaient là consacraient les années les plus importantes de leur vie à causer voitures et à risquer des suppositions sur la serveuse pour se refermer comme une huître et ébaucher un sourire quand elle approchait de leur table. Si l'un d'entre eux avait la chance de l'emmener au cinéma ou se balader en voiture jusqu'à la prochaine ville, son père voulait qu'elle soit rentrée à onze heures du soir et elle-même n'avait jamais autorisé qui que ce soit à regarder ce qu'il y avait sous son chemisier et son jean. Elle avait grandi avec ces jeunes hommes. Elle ne connaissait que trop leur façon de penser et de parler et savait pertinemment qu'ils se peigneraient toujours de la même manière, qu'ils auraient toujours la même bouille.

« Un matin, un homme que personne n'avait encore jamais vu s'assit dans l'un des box et commanda un petit déjeuner.

« Il avait de grandes oreilles et une petite tête. Il portait une cravate. Pour s'occuper, il passa dix bonnes minutes à essayer de maintenir le menu en équilibre sur la corbeille à pain.

« Après un regard à la serveuse aux cheveux longs, notre homme se mit à prendre son petit déjeuner là tous les matins, et — persuadé que cela l'amuserait peut-être — à lui répéter les mêmes instructions compliquées quant à la façon de retourner les œufs, ce qu'elle faisait mine de ne pas entendre.

« Il était descendu à l'hôtel. Il avait toujours été bavard et pouvait discourir sur n'importe quel sujet. Il aimait particulièrement se présenter à une femme, et puis broder. Il estimait que son incroyable laideur n'était pas un handicap. En fait, il se peut que cela l'eût aidé. Il savait écouter. Tout jeune déjà, il était "rusé comme cinquante corneilles". Il avait commencé par faire du porte-à-porte pour vendre des remèdes contre la toux, puis des aspirateurs et ensuite des machines à coudre Singer. Il travaillait en plus pour un fabricant de mâts de drapeau qui venait de se diversifier dans les escabeaux — objets difficiles à déplacer en grande quantité. Il avait l'air perpétuellement affamé. Les classiques lois de la trahison s'appliquent davantage à un voyageur de commerce qu'à la plupart des autres hommes.

« L'air grognon de la serveuse l'avait attiré et quand, en se renseignant, il s'était laissé dire qu'elle avait sur le corps quelque chose de si bien caché qu'aucun homme n'avait jamais pu donner de détails sur la question, il avait décidé qu'il ne quitterait pas la ville tant qu'il n'aurait pas jugé sur pièces.

« Cette résolution en tête, il prit tous ses repas chez le Grec. La nuit, il s'assurait qu'il était le dernier à s'en aller, même si cela impliquait qu'il commande un nouveau café. Mais il s'aperçut vite que la méthode qui lui avait valu tant de succès dans des douzaines de villes de la campagne — à savoir des flatteries extravagantes, des exagérations manifestement absurdes et de vieilles blagues éculées en couvant des yeux la dame en question — ne le menait nulle part. Il ne réussit qu'à la rendre carrément méfiante, hostile même.

« Après s'être fait repousser pendant toute une semaine, il décida de s'accorder une nuit supplémentaire ; il ne pouvait pas passer sa vie dans ce trou. La décision lui vint aussi facilement que s'il eût commandé un autre toast. Il laissa sa valise sur le lit et se mit en route pour le café. Dans l'obscurité, une femme enveloppée dans un châle noir surgit devant lui. C'était une vieille femme qu'il n'avait encore jamais vue.

« "Ce n'est pas la fin du monde", parut-elle dire en l'attrapant par la manche.

« Elle avait oublié de mettre ses dents. Elle lui prit la main, la lui frotta du bout des doigts et décréta :

« "Transforme-toi en un citoyen bien droit, tout ouïes."

« Du moins, c'est ce qu'il crut entendre — soit une énigme, soit un cri méprisant. Comme il se détournait avec un rire bon enfant, il trébucha et s'écorcha le genou.

« Ce fut la serveuse avec son air perpétuellement

agacé qui le remarqua. Elle alla même jusqu'à lui adresser la parole :

« "Qu'est-ce vous avez fabriqué ?"

« Il baissa les yeux et s'aperçut qu'il avait des échardes plein les mains.

« Après cela, il se rendit compte que le Grec et sa fille le regardaient. De manière inattendue, le père hocha la tête et sourit. Mais c'était trop tard. Notre homme avait déjà décidé de ce qu'il allait faire. Sans essayer de la gagner à sa cause en cette dernière nuit, il termina son repas et ne commanda même pas un café. Il attendit dehors la fermeture. Il n'y avait personne alentour. Quand la lumière de la chambre de la jeune fille s'alluma, il fit le tour de l'établissement.

« Précautionneusement, il escalada la clôture. Il se sentait une envie de siffloter un petit air. Pourquoi personne n'avait-il encore fait cela ? Il y avait un néflier du Japon, un poulailler, des bouts de bois. Devant la fenêtre à persiennes, il se dressa sur la pointe des pieds.

« Dans sa chambre, la jeune serveuse finissait d'enlever son dernier petit vêtement. Elle se tourna tranquillement. Devant la force saillante de sa nudité, il manqua suffoquer ; le riche enchevêtrement de noir sous les hanches.

« Désireux d'en voir davantage, il s'étira : et, là, il la vit sur ses jambes, la tache sombre, comme si elle avait de l'encre jusqu'aux genoux.

« À ce moment précis, elle se tourna vers la fenêtre. Elle ne poussa pas de cri et, pourtant, il recula ; du moins est-ce l'impression qu'il en eut. Quelque chose de solide le bloqua par-derrière, l'empêcha de bouger. Il ne servait à rien de lutter. Il voyait toujours l'intérieur de la chambre et le corps pâle de la serveuse. Ses bras se mirent à s'enfoncer dans ses flancs. Et il sentit qu'il se fondait dans quelque chose de totalement dur et de vertical ; d'une grandeur étonnante. Sottement, il se fit la réflexion qu'il était grand temps de rentrer chez lui à Sydney. Sa tête devint froide. Il commença alors à entendre des voix.

« Des jambes musclées de la serveuse, la tache se vit transférée sur les quelques mètres de grillage, de bouteilles, de boîtes de conserve, de bois utile, *et cetera,* et franchit la clôture grise fendue pour arriver au pied du nouveau poteau télégraphique, un karri, qui allait se dresser là, par tous les temps, à jouir d'une vue dégagée sur la serveuse grecque dans sa chambre, régulièrement nue.

« Elle, bien entendu, vécut heureuse jusqu'à la fin de ses jours et profita parfois de la compagnie d'un homme. »

28

Decipiens

Il y a encore à ce jour des exemples d'hommes qui, face à une femme nue, se voient tout bonnement incapables de détourner les yeux, et encore moins de les fermer. Très courant au sein de l'espèce. Cela arrive tout le temps quelque part dans le monde. Fortuit ? Plus vraisemblablement, il y a à l'œuvre un mécanisme fondamental et bien ancré ; et, du fait que les yeux possèdent ce corps sans protection, un second mécanisme est alors activé, ce qui peut avoir des conséquences inattendues et, parfois, se solder par un châtiment.

29

Neglecta

Deux jours avaient passé : et aucune trace de lui. De l'avis d'Ellen, le paysage encyclopédique avait pris un aspect totalement vide et morose.

Peu de choses bougeaient, du moins rien qui sortît de l'ordinaire ; aucune silhouette n'avançait vers elle.

Le troisième jour, des vents et une pluie tombant à l'oblique arrivèrent par l'est et cinglèrent les eucalyptus qui se transformèrent en arbrisseaux impuissants, panorama de réputations malmenées, en grands arbres — dont certains furent déracinés ou fendus — frissonnant et tressaillant sous l'effet d'une détresse féminine tandis qu'un petit terrain d'herbes brun pâle se retrouvait ratissé et métamorphosé en un gigantesque paillasson, du genre de ces paillassons à poils rouquins qu'on remarque à l'entrée de certains salons de coiffure de Sydney.

Soûlée par le vent, Ellen commença à nourrir des pensées irrationnelles, agitées. À présent, il était parti. Quelle mouche l'avait piquée ? Tout en continuant à réfléchir, elle fronçait les sourcils. Quand elle s'était tournée vers lui, nue, ce fameux jour au bord de la rivière, elle avait éprouvé une immense impression de simplicité. C'était aussi qu'elle lui faisait confiance. En un sens, elle s'était déjà donnée ; pratiquement impossible de le considérer comme un inconnu maintenant.

En attendant aux endroits où ils avaient l'habitude de se retrouver, elle comprit très vite qu'il ne serait pas là. Elle s'en alla plus loin, erra d'arbre en arbre.

Les eucalyptus, arbres égoïstes, ne procurent que très

peu d'abri. Au cours d'une de ces journées, Ellen, qui était loin de la maison et qui peut-être regrettait que les gommiers ruisselant d'eau n'eussent pas les vertus de parapluie des chênes ou des simples platanes ou même des lugubres pins teutoniques, se retrouva trempée jusqu'aux os pour avoir oublié de boutonner sa veste de gardien de bestiaux. Il est vrai que, les cheveux plaqués sur son front et ses oreilles, et le visage encore dégoulinant après une course zigzagante, elle se sentait au cœur d'un drame susceptible d'être triste ; elle affichait une expression de grande détermination. Sinon pourquoi ôter sa robe mouillée et l'accrocher au mystérieux clou fiché dans le tronc de son arbre ? Sans l'avoir cherché, elle était tombée sur le *E. maidenii* — et il y avait le clou. Ainsi mise à sécher, la robe renvoyait une version effondrée d'elle-même.

Au moins le temps avait-il stoppé l'implacable avancée de M. Cave. Par habitude, cependant, il continuait à se présenter le matin, à frapper ses bottes contre la véranda pour faire tomber la boue, puis, Holland et lui, la main serrée sur une tasse de thé, méditaient sur le mauvais temps.

Il ne restait plus que le champ triangulaire au loin qui renfermait surtout des écorces ficelle et, à l'endroit le plus proche de la ville, le seul et unique gommier spectre. Les arbres d'ornement qui bordaient l'allée menant à la demeure, il les laissait pour la fin. Son but, apparemment, était d'identifier les quarante derniers eucalyptus en une sorte de marche triomphale jusqu'à la porte principale. M. Cave confia à Holland qu'il avait besoin d'une journée encore, de deux tout au plus.

Ellen entendit cette déclaration par-dessus et au-dessus de la pluie qui tambourinait contre le toit métallique alors qu'elle passait tout près d'eux sur la véranda, sans robe sous son imperméable, et faillit trébucher.

Tout le monde, sauf Ellen, voyait bien que M. Cave était sur le point de gagner sa main. Aussi incroyable que cela puisse paraître, elle avait recommencé à concentrer toutes ses pensées et toute son énergie ailleurs, sur une autre personne par là, quelque part, un homme invisible absolument irrésistible, en espérant peut-être que, en tournant la tête dans une direction opposée, elle dévierait en un sens la progression industrielle de M. Cave, que celle-ci en serait gommée. À l'heure qu'il était, ni son père ni personne n'avait plus guère de moyens de la sauver.

Quand le temps se remit, elle monta à la tour et scruta les environs à la recherche d'un mouvement, d'un signe de lui. Des choses familières avaient changé de position, d'autres, en brisant la ligne d'une clôture, avaient laissé des bribes d'elles-mêmes répandues par terre ou bien décrivaient un drôle d'angle par rapport au sol. Çà et là, des trous d'ordinaire remplis d'ombre brillaient d'une lumière aqueuse ; c'était un paysage de lendemain de bataille.

Ainsi donc, les arbres produisaient de l'oxygène sous forme de mots. Ellen croyait entendre sa voix. Des histoires dotées d'un cadre étranger s'étaient approchées de son univers. Elles lui revenaient. C'était dû aux nappes d'eau alentour et aux eucalyptus tout crottés qui réclamaient de l'attention.

Entre les histoires, Ellen lui avait permis de tendre la main pour l'aider, alors que ce n'était pas utile, à enjamber un arbre tombé ou de grosses pierres.

Le gommier de rivière à feuille de saule (*E. elata*) avait plus de noms botaniques que n'importe quel autre eucalyptus. « Dans l'une des haciendas près du port de Vaucluse vivait une petite femme aux yeux brillants et chaussée de sandales dorées, qui s'était mariée et avait divorcé tant de fois qu'elle avait du mal à se rappeler son nom. Les autres femmes l'aimaient bien et, pourtant, elle n'était jamais heureuse. Un jour, sans raison apparente, un homme musclé, qui avait une étoile tatouée sur l'épaule et qui ne portait rien à part des bottes, un caleçon et un maillot de corps marine, déversa un chargement de sable humide dans son allée et — le croirez-vous ? — s'avança jusqu'à la porte principale pour obtenir un reçu. Elle était encore en peignoir, les cheveux en bataille. Il fallut une minute ou deux pour démêler cet imbroglio qui ne fit que changer de forme car ils demeurèrent là à se regarder du fait d'un imbroglio totalement différent et plus profond qui ne lui était pas inconnu... »

Quant au svelte mallee de Steedman (*E. steedmanii*), originaire de l'Ouest, Ellen avait naturellement anticipé quelque chose en relation avec des jockeys ou des conducteurs de bestiaux tapageurs ; à la place, il avait amené sur le tapis le triste cas du postier de Botany (une banlieue de Sydney) qui estimait que délivrer du courrier était un boulot *au-dessous de lui* — Ellen avait souri — et qui faisait son travail tellement à contrecœur qu'il avait été transféré d'une petite ville de campagne à une plus petite encore, jusqu'au jour où il s'était retrouvé dans cette ville-ci, juste de l'autre côté de la rivière kaki, où sa sœur servait au guichet et où on pouvait à l'occasion l'entendre fourgonner ou s'éclaircir la gorge dans le bureau.

Des arbres, affublés de noms vulgaires tout ce qu'il y a de plus théâtral et de plus impudique, comme l'eucalyptus à odeur de citron, le princesse argent, les divers veste jaune et le blanc wallangarra qui laissait tomber des feuilles dans le barrage, pour n'en citer que quatre, surgissaient sous ses yeux, puis disparaissaient pour devenir souvenirs. Et Ellen sentait ses paroles se rapprocher en tournoyant : très insistantes, vraiment.

Il y a un endroit dans le nord-ouest de l'Espagne qui s'appelle La Corogne, avait-il dit. Un endroit rocheux — un délire géologique. La Corogne est connue pour deux choses seulement : son mauvais temps, il n'arrête jamais de pleuvoir, et son phare en granit construit au Moyen Âge. Les familles des alentours le surnomment « la tour de caramel ». Cette tour, si l'on en croit l'histoire, abritait un miroir miraculeux qui reflétait tout ce qui se passait partout dans le monde. Les femmes de La Corogne allaient trouver le miroir pour voir où étaient leurs hommes à tel moment donné, les épreuves et les dangers qui les menaçaient en mer, et suivre les naissances, les morts et les mariages.

Un dimanche, un homme du coin, vêtu d'un costume noir, alla vérifier ce que faisait la femme qu'il était censé épouser. À la place, il découvrit une jeune étrangère à la mâchoire accusée et aux hanches larges qui consultait le miroir — sur les conseils de l'office du tourisme de la ville — pour savoir où était son amie, une fille débordante de vie, qui avait oublié de lui laisser une adresse. L'Espagnol s'apprêtait à partir quand, dans le miroir, il vit, sans que le doute fût possible, sa fiancée dans les bras du fils du maire ! Il y avait une carafe de vin à côté du lit. Alors qu'il avait les yeux rivés sur la scène, sa fiancée changea de position et s'allongea sur son rival. L'Espagnol se tourna vers l'Australienne effrayée.

« Je vais les tuer ! Sur-le-champ ! »

Il ne plaisantait pas du tout.

L'Australienne, très directe, qui ne voyait rien dans le miroir, pas même une trace de sa joyeuse amie, posa une main apaisante sur son bras.

Elle venait de Geelong. Elle était toujours à deux

doigts de partir ou de revenir, comme si elle vivait au bout d'une formidable longueur d'élastique. D'abord, il y avait eu Bali. Puis l'Inde. Elle était allée à Londres et en était revenue. L'Amérique du Sud avait été sur sa liste. Elle était retournée en Europe, par le train, avait pris Londres pour base avant de ressentir le mal du pays. À peine rentrait-elle en Australie qu'elle se remettait à planifier un prochain voyage.

Bref, avait-il dit, la jeune femme de Geelong et l'Espagnol quittèrent la tour ensemble et on les vit s'amuser dans l'un des cafés. Elle resta à La Corogne. Il monta à sa chambre. L'océan noir qui n'avait de cesse de se faufiler par la fenêtre pour pénétrer dans sa chambre, les cris des oiseaux de mer et les mots étrangers dehors, alors qu'à l'intérieur cet homme au visage bleuâtre lui accordait une attention aussi solennelle, les yeux et les mains perpétuellement en mouvement, se combinaient avec l'énergie de sa jeunesse pour produire une intensité sympathique — c'est ce qu'il avait dit —, une douceur intense et diffuse qu'elle n'avait encore jamais connue.

Dans la chambre avec lui, elle prit la mesure de sa bonne santé sans histoire et vit sa vie déployée devant elle, baignée de soleil, conformément aux lois de la perspective. Cependant, au bout d'une semaine, l'agitation la reprit. Au milieu d'une masse de sourires accommodants, elle annonça qu'il était temps qu'elle s'en aille ; l'homme manifesta sa surprise en lui criant après. Mais elle avait pris sa décision, même si elle se sentit un peu perdue et se moucha le nez lorsque, une fois dans le bus, elle se retourna vers sa silhouette qui s'amenuisait.

À Londres, aux moments les plus inattendus, elle revoyait la chambre de La Corogne qui, de loin, lui paraissait coincée au milieu des rochers noirs. Elle ne cessait de le voir à l'autre bout de la pièce et de près. C'était leur chambre. Il avait un visage allongé et ses cheveux lui arrivaient aux épaules : elle aimait son expression solennelle. Elle sentait sa bouche et entendait sa voix.

On rencontre des milliers de gens différents au cours d'une vie, une femme des milliers d'hommes différents, de toutes sortes, et plus encore si elle ne cesse de sillonner le monde. Même ainsi, parmi les nombreuses personnes qu'on rencontre en moyenne, il est rare de se découvrir une harmonie presque immédiate et d'avoir un intérêt commun. Malgré toutes les possibilités de choix, les chances sont extrêmement minces. S'il y a miracle, il faut le saisir. Peut-être était-ce du fait d'une reconnaissance inconsciente qu'elle lui avait tiré les oreilles, un matin de bonne heure, dans un élan de gaieté qu'il avait prolongé en se roulant par terre sous le coup d'une douleur grandement feinte ?

À Londres, elle se rendit compte qu'elle n'aurait jamais dû s'en aller. En des moments bizarres et importants, une personne se voit offrir une chance et une seule ; et cela avait été le cas.

Il pleuvait à La Corogne. Elle parcourut les rues d'un pas pressé et fit le tour des cafés. Tout ce que les hommes purent faire, ce fut de hausser les épaules. Elle donna de multiples descriptions de lui. Elle passa la matinée assise à leur table habituelle avec un chocolat chaud. Le troisième jour, elle monta consulter le miroir de la tour pour savoir où il était. Il n'y avait rien. Le miroir était noir.

Comme elle se tournait pour s'en aller, elle entrevit une vision fugitive d'elle-même — une silhouette qui était presque la sienne, vue de derrière. S'imposant l'immobilité, elle se vit dans le miroir, quinze, vingt ans plus tard. Seule, les jambes très musclées, elle charriait un lourd sac à provisions d'où dépassait une botte de céleris : à côté d'elle, il y avait un arbre mince, pas très grand, avec des feuilles vert foncé, plutôt irrégulières.

Ellen redescendit de la tour.

Il n'avait pas donné signe de vie. Elle se rendit compte qu'elle n'était même pas sûre de son nom. Et pour l'avenir proche, qu'en était-il ? Le simple fait d'y penser était trop terrible : il lui fonçait dessus. D'un autre côté, elle n'avait pas envie que sa vie se résume à un grand terrain vide.

Dans sa chambre, elle se sentit aussi agitée que la femme de Geelong dans l'histoire qu'il lui avait racontée.

Elle griffonna un mot.

« Il faut qu'on se parle. Je suis malheureuse. Ta fille. »

Elle le glissa sous la porte de son père.

30

Papuana

Songez combien il est dur d'être la première femme blanche née en Nouvelle-Guinée. Ceux qui ont la chance de ressembler à tout le monde dès la naissance ont du mal à concevoir les effets débilitants d'une telle situation. Après avoir débuté comme une enfant resplendissante sur la plantation, elle avait connu la pension de Brisbane, diverses bleuettes et histoires d'amour, jusqu'au mariage avec l'Italien élégamment habillé, et trimballait en fin de compte un vague poids mental qui plairait sûrement à toutes ces femmes des îles condamnées à passer leur vie avec un gros chargement de bois de chauffage ou de bananes vertes sur la tête.

Si elle avait vécu à Brisbane, elle aurait fréquenté des tas de gens.

Costaude (en fait, énorme), elle se réfugiait dans des caftans, des imprimés fleuris et éclatants et arborait des boucles d'oreilles d'un diamètre impressionnant qui balançaient et cliquetaient à chacun de ses gestes. Ses cheveux avaient viré du blond décoloré au gris sale. Allez savoir pourquoi, la peau blanche n'est pas faite pour les tropiques. La chaleur et l'humidité lui avaient malmené le visage et les bras, bien qu'elle eût un joli petit sourire. Plus tard, à Brisbane, elle tint une bijouterie dans l'un des centres commerciaux de la ville. Sans prévenir et alors qu'elle venait de fêter ses cinquante ans, son mari la quitta pour une autre. À la même époque environ, le premier des mélanomes fut diagnostiqué sur sa joue et son cou. À leur fils, qui avait ses propres problèmes, avec sa petite famille et son commerce de détail dans un centre commercial proche, elle donna des instructions et lui fit promettre — elle l'obligea à jurer sur la Bible — que, après sa mort, il disperserait ses cendres dans le jardin de son ex-mari qu'elle détestait.

Une histoire de fantôme : pour une autre fois.

31

Patellaris

Son père lui avait toujours dit de se méfier des hommes. Est-ce que ça incluait les *pères* ?

Sinon, les hommes étaient connus pour être faibles et évasifs. On ne pouvait pas compter sur un homme, pas vraiment ; ils étaient toujours ailleurs. Et ils ne cessaient d'essayer de convaincre. On aurait cru que c'était la raison de leur présence sur terre. Ellen avait le visage vissé sur le papier peint qui tournoyait. Ils racontaient des histoires, parlaient d'une voix douce comme on n'imagine pas et n'avaient qu'une idée en tête — n'empêche, ça éveillait toujours quelque chose d'agréable en elle. Toujours à vouloir convaincre.

Quant aux pères, qu'en était-il du sien — l'homme qui fourgonnait dans l'autre pièce ?

Les femmes, il les avait un jour décrites comme de « petits moteurs ». Histoire de généraliser, c'est-à-dire avec juste un soupçon de l'exaspération classique. Il était plus facile de visualiser une surchauffe, des tuyaux et des vibrations, que de les comprendre. Ellen avait remarqué que, avec les femmes de la ville, son père affichait de l'indifférence et des manières souvent abruptes qu'elles trouvaient même attirantes.

Dans sa chambre, Holland était accroupi au-dessus des plaques sur lesquelles il avait fait graver le nom de tous les eucalyptus de la planète et les triait à même le sol. Ellen entra et, voyant qu'il ne disait rien, s'assit par terre.

Il lui fallut quelques minutes pour s'habituer à l'atmosphère de la chambre de son père. Et, comme toujours, elle jeta autour d'elle un œil curieux :

l'absence de véritable douceur, de couleurs — pas de miroir dans la pièce. À la place, elle examina le côté brun inopiné du matériel qui se trouvait là, instruments, pièces détachées, pluviomètres porte-crayons ; grosses vestes, bottes de rechange, lit de camp ; grands livres, papiers, rouleuse à cigarettes ainsi qu'une valise et un fusil de chasse dans un coin, chargé, à ce qu'il disait, pour tenir les jeunes à distance ; un calendrier montrant le colossal gommier rouge qui envahissait tout un trottoir d'Adelaïde, cadeau de M. Cave pour la nouvelle année.

La chambre présentait une harmonie anarchique et muette semblable à un flanc de colline couvert d'arbres tombés. Et pourtant elle ressemblait à une *cave*. Ellen respectait les différences de ce lieu qui témoignaient du moi fragmenté de son père ; une sorte d'individualité erratique depuis longtemps installée.

« Tu parles d'une dévastation, disait-il à présent, c'est un chaos total. Je ne sais pas combien d'arbres ont été flanqués par terre. Ce ne sera plus jamais pareil.

— Les barrages sont pleins, et je n'ai pas pu approcher de la rivière. »

Son père acquiesça.

D'un côté, il poussa les noms des espèces les plus faibles, celles fendues au milieu, celles déracinées, celles aux racines superficielles.

« Notre ami, M. Cave, est allé là-bas jeter un rapide coup d'œil. C'est gentil de sa part. »

Ellen s'accroupit à côté de lui.

« Tu peux les remplacer tous. Ce ne sera pas si difficile que ça, non ?

— C'est difficile de faire beaucoup de progrès dans ce domaine. Ça a pris tout ce temps... et la nature est toujours prête à s'interposer. La nature est toujours en train de pointer le bout de son nez, très patiente. Rien que l'autre jour, il y avait un article dans le journal sur un eucalyptus que quelqu'un, je ne sais plus qui, a vu pour la première fois il y a cent ans. Il y avait une description, on lui avait donné le nom de *rameliana,* mais on ne l'a plus jamais revu. Je suis sûr que je t'en ai parlé. Au fil des années, c'est devenu un de ces fameux arbres mystérieux. M. Cave me demandait même, l'autre jour, s'il avait jamais existé. Mais je viens de lire dans le journal qu'une expédition est tombée sur un spécimen survivant — dans le désert, à l'ouest des monts Olga. »

Il hocha la tête à cette idée.

« En voilà un qui aurait mérité qu'on se le procure. »

Les yeux fixés sur le cou de son père, Ellen comprit qu'il était impossible de lui parler. Les arbres lui avaient toujours servi de refuge, elle le voyait bien ; c'était tout une forêt de noms intéressants, sur lesquels chicaner. Quant au cou, il était tanné, légèrement décharné et dénaturé par des années passées à surveiller, par n'importe quel temps, le vaste dessein sous-tendant la plantation.

« Il y a un problème ? » demanda-t-il.

Parmi les questions dont elle avait compté discuter, il y avait l'idée de tout laisser tomber pour entreprendre un de leurs voyages vers Sydney, de descendre au même hôtel, lequel se dressait au même endroit, à Bondi. Peut-être alors M. Cave, qui avançait docilement sur les traces de son père, en pire, comprendrait-il le message ?

Son père s'était interrompu, *E. sepulcralis* dans une main.

Comme pour dire : « Je vais bien, ne t'inquiète pas », Ellen s'étira et embrassa sa peau rêche. Et, ce faisant, elle se sentit un épanchement de faiblesse ; peu à peu, son désespoir se transformait en tristesse pour lui.

S'il s'était retourné et qu'il l'eût regardée, à ce moment précis, elle se serait effondrée, les épaules secouées de chagrin et en larmes. Tête baissée, il se mit à allumer une cigarette. Que lui arrivait-il ? Elle se sentait malade.

Il n'y avait pas longtemps, l'enfant qu'elle était aimait à glisser les pieds dans les grosses chaussures de son père pour se promener d'un pas mal assuré à travers la maison.

À présent, elle était la fille qui s'apprêtait à partir.

Pour éviter que le désastre ne déborde, elle respira par la bouche. Au moins sa chambre lui offrait-elle une sorte de refuge, doux tant il lui était familier, alors que, lui, c'était les arbres qui le protégeaient.

Elle se disposait à sortir quand, en partie du fait de son embarras, elle tendit la main vers un petit coffret en bois sur le manteau de la cheminée, un objet qu'elle n'avait encore jamais vu.

« Prends-le, lui dit la voix de son père. Je l'ai trouvé l'autre jour. C'était pour ta mère. Elle n'a jamais eu l'occasion de le voir. Je passais devant un magasin de pacotilles ridiculement cher tout près d'Oxford Street, le vendeur ponçait une tête de femme au papier de verre, et je me suis dit que j'allais l'offrir à ta mère, pour lui remonter le moral. C'est un superbe exemple de mécanique suisse, mais... en tout cas, tu verras que ce n'était pas ce qu'il fallait. »

Il lui cria :

« Sers-toi de la clé au bout de la corde. »

Pareille à une infirmière les bras chargés de serviettes propres, Ellen emporta le vieux coffret sur des paumes tendues, seul objet dans la maison dont le passé avait un lien avec sa mère.

De retour dans sa chambre, elle se sentit cernée de toutes parts : non par les murs peints, mais davantage par son père accroupi au-dessus de tous les noms d'eucalyptus existants et par M. Cave qui progressait à son allure sérieuse. Et alors la colère la prit, non contre eux, mais contre lui, qui était d'abord et avant tout l'invisible auquel on ne pouvait se fier, qui correspondait à son âge, à ses intérêts et à tout le reste et qui avait décidé, après toutes ces histoires, de ne plus se manifester, de ne plus l'aider — de l'abandonner.

Ellen ne savait plus que faire, où aller.

Et les larmes entamèrent leur remontée, du fond de leur puits chaud, pas très loin à l'intérieur, une transparence d'émotions, de sentiments face auxquels elle se sentait impuissante à ce moment précis. Ces larmes commencèrent par atteindre sa bouche. Elle les retint. Suffoquant, elle les ravala. Elles regagnèrent donc ses yeux qui clignaient déjà, prés de déborder. Presque aussitôt, elle s'ouvrit et sentit que se défaisait son moi solide et difficile, toutes ces confusions, pour se transformer en une douce limpidité, se libérer sous forme d'inconscience. De plus, il n'y avait rien d'autre à faire.

Distraitement, elle tourna la clé, remonta le mécanisme du coffret destiné à sa mère.

Le Dictionnaire des miracles compte de multiples entrées sur la survenue de larmes extraordinaires, presque autant que sur l'eau qui se change en vin et les muets qui parlent. La mosaïque des pleurs : une longue histoire hypnotique. Les larmes impliquent une purification ; le chagrin porté au rang d'extase est un mouvement religieux. Jésus pleurait. Les saints sont au nombre des pleureurs sereins de l'Histoire. Leurs larmes vont vers le ciel « par des chemins qui nous sont inconnus ». Sinon, les larmes coulent vers un futur, un résultat. Hommes et femmes sont immanquablement attirés par les fleuves et les rivières. Les larmes génèrent désagrégation et impuissance ; durant la désagrégation d'un visage de femme en pleurs, l'homme éprouve une impuissance correspondante — une impuissance du genre impatient, coincé, une impuissance du discours utile. Les larmes elles-mêmes découlent de l'inutilité des mots. En même temps, les hommes — pour placer le sujet sur la très vaste plaine inondable — souhaitent, veulent et souvent imaginent telle femme en pleurs. Nombreuses sont les femmes furieuses et insatisfaites. En pleurant plus modestement, voire pas du tout, les hommes conservent au moins l'usage des mots, pour convaincre.

Plus encore que les miracles des larmes consignés ici ou là, les femmes qui pleurent sont honorées dans le domaine artistique. Ce sont des femmes sur toiles perdues dans leurs larmes, le visage décomposé en de multiples plans, par exemple, ou tel visage lisse arborant une larme scintillante et une seule, qui monopolise notre œil, et d'autres en suspens à la lisière même de... les yeux brouillés, les lèvres entrouvertes, elles relèvent la tête après avoir lu une lettre ou, enfermées dans la chambre nuptiale, regardent un point en dehors du cadre.

Au moment précis où Ellen s'apprêtait à libérer totalement ses larmes, le couvercle verni de la boîte à musique s'ouvrit brusquement pour laisser surgir, sur des articulations fatiguées et en position verticale, telle une momie émergeant d'une tombe, une silhouette blond paille, ce qui était exactement la couleur des cheveux de sa mère, sinon qu'il s'agissait là d'une fille de laiterie, aux joues rosissantes et au décolleté convenable, qui tenait un seau en porcelaine.

Seul un paysage alpin truffé de sapins, Allemagne,

Suisse, Autriche, pouvait avoir produit, en réaction contre le sublime, une œuvre d'un kitsch aussi douteux.

Une musique confuse de glockenspiel émanait à présent de la boîte.

Et sous le regard d'Ellen qui retenait ses propres larmes, la fille de laiterie se mit mécaniquement à *pleurer à seau.* Il y avait très certainement une histoire derrière. Un homme de passage avait probablement abusé d'elle sur un terrain défriché, comme on dit. Et, depuis, la fille de laiterie était passée entre de multiples mains.

Allongée sur le lit, Ellen étudia le chagrin de la blonde aux joues roses. Ellen remarqua qu'elle avait à peu près son âge. À chaque fois que le flot de larmes s'amenuisait, Ellen le remontait de nouveau. Ainsi laissait-elle la silhouette mécanique prendre les larmes en charge.

Le box pleureur (*E. patellaris*) apparaît près d'un ruisseau ou sur des pentes douces dans des espaces anormalement dégagés : dans l'ouest du Territoire du Nord, et à côté d'un endroit proche de Port-Hedland en Australie-Occidentale. Il a une écorce grise, fibreuse ; des petites branches au port retombant, « pleureur » (cette caractéristique s'applique à de nombreux eucalyptus). Une autre espèce, plus petite, qui donne l'impression de pleurer, *E. sepulcralis,* doit son nom aux cimetières européens.

32

Ligulata

Il est peu utile ici de décrire la photographie fautive des rêves.

Il est vrai qu'Ellen se réveilla de bonne heure et s'aperçut qu'elle avait rêvé de lui. Ce qui lui donna aussitôt une présence plus marquée, plus insistante, comme s'il avait partagé son lit, la chaleur de son être, certainement plus qu'il n'en avait eu conscience. Aux yeux d'Ellen, ces rêves faisaient de lui un moindre inconnu et, pourtant, un inconnu plus grand encore.

Le problème est : qui peut être sûr des origines d'un rêve, et de ce qu'il signifie ou pas ?

Il y a ici de nombreuses variables à l'œuvre. Il se peut qu'un rêve ne représente rien de particulier, de même que des images ou des situations prises en plein jour n'ont aucun sens ni aucun effet particuliers. Les rêves n'ont pas tous du sens. Les rêves aussi ont besoin de repos ! Un grand nombre de rêves, peut-être même la majorité, sont des souvenirs de quelque chose d'arbitraire, une répétition languissante de quelque chose vu le matin même, rien de plus. Peut-être que le déclenchement à partir de l'inconscient n'a aucune signification psychologique ? Il se peut qu'il soit tout aussi arbitraire que le gommier culbuteur qui se trouva être sur le chemin du jeune Sheldrake le jeudi fatal où il quitta à toute vitesse le chemin de terre longeant la rivière au volant du camion rouge de son père (cet eucalyptus s'appelait *dealbata*).

Ellen appréciait pourtant l'intimité des rêves : à travers eux, ses drôles de sentiments devenaient plus drôles encore. Au moins pouvaient-ils, elle et lui, évoluer dans une unité concentrée ; Ellen se réveillait, chaude et humide, en proie à une incrédulité reconnaissante. Ces rêves exagéraient peut-être ses sentiments envers lui. Dès son réveil, elle les notait dans son journal.

Sous un fragile spécimen de *E. nelsonii,* Ellen avait écouté sans rien dire une quasi-histoire sur un homme de Melbourne, aveugle de naissance, qui rêvait régulièrement de la mer, d'instruments de musique et d'une chèvre qui courait généralement au-dessous d'un cheval, choses qu'il ne pouvait — inutilc dc le préciser — avoir vues. Le tout comprenait une version de son propre petit visage, qui était assez fidèle.

Les descriptions de rêve occupent une place équivoque dans l'art de raconter des histoires. Car ceux-là sont des rêves qui ont été imaginés — « montés » pour être intégrés à un récit. Il est possible d'inventer une histoire, mais comment inventer un rêve ? En n'émergeant pas de son propre gré de l'inconscient, il instille une note de fausseté et se borne à illustrer quelque chose qui « ressemble à un rêve », ce qui explique peut-être pourquoi, dans les histoires, les descriptions de rêve paraissent curieusement dénuées de sens. Pour éviter la lassitude, mieux vaut alors s'empresser de tourner la page.

« Déride-toi, mon petit », s'écria son père en lui touchant l'épaule.

Elle était en train de servir le thé avec la vieille théière marron.

« C'est pas la fin du monde. »

Il continua à la regarder.

Ellen était encore en peignoir. Il fit alors un geste qu'il n'avait pas fait depuis qu'elle était petite. Il noua les bras autour de sa taille et l'attira gentiment sur ses genoux où elle se retrouva emmitouflée dans ses années, ses favoris et son tabac, la spontanéité joliment ferme que dénonçaient ses gestes retenus.

« Sois gentille... », ajouta-t-il en continuant à lui caresser les cheveux.

Ellen décida de ne pas protester et de ne pas pleurer. Elle oscillait entre les deux options ; réussit juste à se maîtriser.

C'est à peine si Holland s'en aperçut.

Un coude en appui sur la table, Ellen s'attarda sur ses genoux plus longtemps qu'elle ne l'avait escompté.

Ensemble, ils entendirent des pas crisser sur les gravillons de l'allée. À tout moment maintenant, M. Cave se mettrait à traverser d'un pas sourd la véranda en bois. Ellen sentit son père soupirer.

La voix de M. Cave s'était faite plus forte depuis qu'il se rapprochait du prix qui lui était dû, et une sorte d'abrupte décontraction s'était emparée de tous ses mouvements de bras et de jambes. Il entrait par la porte principale à présent, il faisait déjà partie de la famille.

« Le pont s'est effondré », annonça-t-il.

Holland releva la tête.

« De quoi parlez-vous ?

— Du pont qui est là depuis une éternité, du petit pont suspendu. La rivière s'est déchaînée et en a emporté la plus grande part.

— Quel dommage », murmura Ellen.

Son père dit :

« Jamais servi... avait fait son temps... l'obsession d'un homme... »

Au milieu de tous les miroitements et de la fluidité qui prévalaient à côté du méandre de la rivière où, un jour, Ellen, les jambes pendantes, avait scruté le fond de l'eau, le pont artisanal avait représenté un élément de stabilité.

« Et ça, poursuivit M. Cave en affichant un visage

mystérieux. Devinez ce que j'ai trouvé accroché au gommier vierge. Il y a un clou de fiché dans cet arbre. »

De ce grand geste d'expert légiste qu'emploient les maris sévères, il brandissait la robe d'Ellen qui, désormais sèche, offrait la délicate nuance d'une pâle rhubarbe ou d'une longue tranche de jambon (avec de petits boutons bleus).

Ce vêtement eut plus d'impact sur Holland que la nouvelle concernant le pont. Il afficha une mine perplexe.

« Il y a des femmes dissolues au milieu de ces arbres », remarqua M. Cave en souriant.

Les deux hommes regardaient fixement la robe.

Tout à coup, Ellen n'eut plus envie de rester plantée là. Or, tandis qu'elle s'attardait, qu'elle se cognait la hanche contre la table, un relâchement fluide et complexe la submergea. La faiblesse s'empara de toutes ses articulations : de ses os, de son sang et de ses tissus, elle envahit ses yeux et sa gorge ; quelle épuisante mollesse ! Ellen tourna même dure d'oreille.

De l'autre côté de la rivière, elle entendit son père s'éclaircir la gorge ; pourtant, il était toujours dans la cuisine, en train d'enfiler sa veste pour sortir avec M. Cave. Ellen voyait bien son air perplexe. Elle se demanda si elle s'était montrée grossière avec M. Cave.

Dans la maison vide, Ellen se déshabilla et se remit au lit où Holland la trouva en début d'après-midi. C'était tellement inhabituel qu'il s'assit à côté d'elle, plaça une main sur son front et lui posa des questions auxquelles elle se contenta de hocher vaguement la tête. Il suffisait qu'elle entende parler de nourriture pour qu'elle ferme les yeux.

Le médecin de la ville était un vieux garçon. Quelle que fût l'heure, il arborait une veste en lin souillée de petits bouts d'aliments et affichait, comme tous les médecins de campagne — manie presque trop banale pour qu'on la mentionne — un air préoccupé, las. On aurait cru qu'il n'appartenait pas vraiment à la ville. À Saint-Vincent, à Sydney, il avait été chirurgien à demeure et avait conduit une Rover. Il s'était passé quelque chose, soit là soit dans sa vie privée. Personne n'en parlait jamais et il n'était jamais retourné à Sydney, pas même une fois. Il faisait encore des cauchemars. Il arrivait qu'on l'entende du trottoir et, pourtant, le lendemain matin, au cours de ses visites, il présentait les sourires les plus circonspects qui soient. Il était courtois, encourageait toujours les gens d'un signe de tête. Il était souvent invité à dîner et, quel que fût le nombre de verres qu'il eût pris, il remontait ses manches de chirurgien et découpait le rôti avec une précision qui ne manquait jamais de fasciner toute la tablée.

Assis maintenant sur le lit d'Ellen, il se mit à bavarder de tout et de rien. Il prit sa température et lui demanda de tirer la langue.

À son arrivée en ville, lui dit-il, l'endroit ressemblait beaucoup à ce qu'il était à l'heure actuelle. Après la guerre, il y avait deux ou trois veuves de plus que maintenant, mais c'était tout. L'une d'entre elles, Mme Jessie Cork, fit un rêve. Il concernait la maison qu'il était en train de se faire construire. Elle se présenta à son hôtel, un matin de bonne heure, en peignoir, et frappa à sa porte. Dans son rêve, Jessie Cork avait vu qu'il fallait qu'il déplace sa maison. Il valait mieux la bâtir sur l'autre flanc de la colline, c'était pour ça qu'elle était immédiatement venue le trouver.

« C'est parfois le problème avec les rêves », remarqua le docteur.

Et d'ajouter :

« Est-ce que vous dormez bien ? »

L'une des premières choses qu'apprend un médecin, c'est à tenir sa langue, poursuivit-il. Au bout d'un court laps de temps, la maison fut achevée. Peu après, alors qu'il avait été appelé pour une urgence, un incendie éclata sur les lieux et la maison et tous ses biens furent réduits en cendres.

Si elle n'allait pas mieux, déclara le médecin à Holland, il reviendrait au matin.

Comme elle n'avait rien de spécial, Ellen décida de rester au lit.

33

Abbreviata

Voici ce récent entrefilet en provenance de Santiago sous le titre UNE CHANCE, MAIS PAS DEUX :

> Un policier chilien ayant échappé à la mort l'an dernier du fait que la balle d'un voleur avait ricoché contre le stylo rangé dans sa poche de poitrine vient de décéder après qu'un arbre se fut abattu sur la voiture à bord de laquelle il patrouillait. Hector Zapata Cuevas a été écrasé par un eucalyptus géant durant un orage. — Reuters

D'un autre côté, avait-il mentionné en passant, les eucalyptus ont grandement contribué au progrès et au bien-être de la race humaine. Dans l'ensemble, l'influence de l'eucalyptus a été positive. Outre les nombreuses traverses de chemin de fer ayant ouvert de somnolents continents et les poteaux télégraphiques (*E. diversicolor*) jouant leur rôle dans la transmission d'affaires urgentes ou de messages personnels intimes, nous avons tout un catalogue d'essieux de wagon réalisés à partir d'écorce de fer, de pieux pour ponts et jetées toujours debout, pour remises grises consacrées à la tonte des bêtes (lesquelles ont produit la laine qui a produit le tissu qui a...) ainsi que pour des chaires devant répandre Sa parole à travers le Nouveau Monde — lesquelles suivent de près la demande de billards ; de buffets en jarrah aussi, croyez-le ou pas, abritant les qualités engourdissantes du xérès et du cognac australiens et dont l'essence a le même fil que celle destinée à des centaines de couvercles de piano — que de plaisirs variés ils ont dû inspirer ! De robustes pieds sculptés et des têtes de lit supportent des matelas, des oreillers et des murmures voués à la procréation de foules d'êtres humains tolérants et imaginatifs — pieds qui, bien entendu, pourraient révéler quelques secrets, avait-il ajouté en souriant. Des forêts entières de jarrah d'Australie-Occidentale se sont vues partout monter en parquets de salles de bal, lieux fourmillant d'histoires avec un début, un milieu et une fin ; d'autres forêts continuent à servir à la fabrication de beaux papiers (pour imprimer des ouvrages de nature médicale, philosophique ou artistique) ; des mâts de drapeau et des béquilles ont été réalisés dans des bois à fil droit ; on recueille du miel à partir de ces arbres ; un certain M. Ramel, en voyage dans le Victoria, colla la frousse aux hommes de La Havane en prenant, dans les années 1860, un brevet sur les *cigares à l'eucalyptus* confectionnés à partir des feuilles des gommiers ; pour parler des brevets pendants, il y a les diverses huiles essentielles d'eucalyptus dans leurs flacons et bocaux faisant autorité qui prétendent — c'est écrit noir sur blanc — guérir ou améliorer un nombre impressionnant de maux sérieux, depuis le rhume banal jusqu'au...

34

Illaguens

Jour après jour, Ellen s'affaiblissait lentement sur son lit.

En proie à une immobilité extraordinaire, elle se vidait de toutes pensées picturales, surtout celles concernant le futur proche, et commençait à flotter en une dérive de pure impuissance, oreillers et draps en coton offrant une douceur de nuages. Puis une corneille, dehors, lâchait une plainte rauque, cri auquel elle était devenue sourde parce qu'il avait accompagné son enfance, alors qu'il la narguait maintenant de la manière la plus grossière qui fût quant à sa place dans cette aride région de la planète.

Et ainsi, des jours durant, Ellen en vint à perdre la notion du temps.

Comme si elle était déjà morte, M. Cave circulait à pas furtifs et s'exprimait par chuchotements bruyants, les mains serrées sur son chapeau, pour ainsi dire. Par respect et surtout du fait de sa perplexité, il ne donnait plus qu'au compte-gouttes les noms des derniers arbres restants. De toute façon, Holland ne pouvait lui accorder qu'une heure ou deux, ne voulant pas laisser sa fille unique. Jamais Ellen n'avait paru si pâle ; une pâle beauté mouchetée qui creusait les oreillers.

En dépit de tous ses espoirs d'échappée, Ellen ne cessait de retourner vers lui, à sa façon de parler, au bien-être de leurs promenades ensemble, d'un eucalyptus à l'autre.

« Ces arbres, avait-il déclaré au tout début, pourraient être pourvus de plaques, comme ça se fait dans les zoos et les jardins botaniques ! Faciles à lire à deux pas ! Susceptibles d'endurer n'importe quel temps ! »

Il s'était planté devant un mince gommier toupie (*E. perriniana*) dans l'alignement du gommier saumon près du portail.

« Qu'en pensez-vous ?

— Ça donne du sérieux à quelque chose qui ne l'est pas nécessairement », avait répondu Ellen, trop vite.

À présent, dans sa chambre, elle suivait l'ample mouvement de la lumière du jour qui commençait par glisser au plafond, puis décrivait un angle pour descendre le long des murs bleus et traverser le sol où elle abandonnait ses chaussures à l'obscurité et à la difformité, pour, en fin d'après-midi, regrimper la majeure partie du papier peint jusqu'au moment où elle se dissolvait et où tout virait au gris. Même là, dans sa chambre, un eucalyptus faisait irruption : à travers les fenêtres ouvrant sur la véranda, un reflet de feuilles de gommier fuchsia posait un motif de dentelle sur ses draps et faisait trembloter les broches, les petits pots et les flacons sur sa coiffeuse.

Avant, le côté suranné dont les histoires débutaient la détendait. C'était son style à lui. « Il était une vieille femme qui vivait au pied d'une sombre montagne... » « La qualité des miracles a décliné au fil des années... » « Tard dans la soirée du 11... » « Il était une fois un homme qui... » La désuétude de ces arrangements verbaux poussait Ellen à sourire secrètement et à retourner auprès des arbres, phase où elle devenait pensive et se mettait à froncer les sourcils — autre version du jour remplacé par le crépuscule et la nuit.

Toujours immobile, Ellen essayait de décrypter la forme de ces histoires ; elle alla jusqu'à suivre les contours de la plantation, prenant en un sens une photographie aérienne de ces histoires, comme si cette initiative allait lui révéler un plan caché.

Nombre d'entre elles concernaient des filles ; ou des femmes qui avaient besoin d'un homme, ou presque. Une femme trouve un homme et il se produit quelque chose de regrettable. Ça ne dure pas. Il y avait assurément davantage d'histoires sur des femmes que sur des hommes, elle s'en rendait compte. Il n'était pas nécessaire de faire le compte. Une fille ne peut jamais devenir une femme à part, pas vraiment. Les pères aussi occupaient des positions fortes et impassibles dans le monde des histoires. Bon nombre d'entre elles avaient trait à un père ou à la manière dont il avait complètement oublié sa fille, ce qui introduisait une note de véritable tristesse. Pourquoi lui avait-il raconté cela ? Les femmes semblaient chercher ou attendre autre chose, quelque chose de presque indéfinissable, mais un plus pourtant, comme une solution quelque part ailleurs ou avec quelqu'un, Ellen le voyait et le reconnaissait sur-le-champ. C'était là des femmes qui suivaient la notion d'espoir. Apparemment, c'était ce à quoi *elles obéissaient en priorité.* Ellen ne pouvait s'empêcher de les respecter. Ces femmes, toutes autant qu'elles étaient, évoluaient avec une sorte de légèreté et obéissaient à l'idée qu'elles se faisaient du respect des sentiments. En général, Ellen aimait les femmes dont il parlait. Sous le gommier toupie, il avait les mains enfoncées dans ses poches quand il s'était retourné vers elle.

« Au large de la côte du Victoria — il se protégeait les yeux —, vivait la femme d'un gardien de phare qui avait une passion pour les cerfs-volants. Elle était jeune et n'avait pas d'enfant. Des semaines durant, elle ne voyait personne d'autre que son mari. Des denrées telles que farine, thé et sucre étaient hissées dans un panier en osier d'un petit bateau tout sombre jusqu'à la fenêtre du phare. Le mari était un homme bien plus âgé qui pouvait passer des semaines et des semaines sans dire un mot. Elle jouait avec son cerf-volant depuis les rochers au pied du phare, là où elle se sentait le mieux. Un jour, son mari regarda en bas et lui cria après : elle éprouva une telle peur qu'elle lâcha le cerf-volant, lequel avait la forme d'un visage de femme malheureux. Il s'éleva dans les airs et s'entortilla autour du mât d'un navire qui passait. Le capitaine était un homme jeune doté d'une barbe toute jeune. C'était son premier commandement...

« Qu'est-ce qui vous fait rire comme ça ? »

Il s'était mis à rire, lui aussi, le jour où il avait posé la main sur sa hanche.

En s'affaiblissant, Ellen devint fragile sur les bords, s'allongea parfois curieusement d'un kilomètre de long et, toujours au lit, entreprit de rassembler les histoires qui, naturellement, l'incluaient, lui, sous différents angles. Il n'avait pas mentionné une quelconque culture générale, sinon pour déclarer un jour que c'était « probablement surfait ». Ce n'était guère qu'une question de mémoire, comme il l'avait formulé.

Et, pourtant, pour raconter ces histoires, il fallait qu'il connaisse les noms d'une multitude d'eucalyptus ; ce ne fut qu'en restant immobile au fond de son lit que Ellen en prit conscience. Le mallee des sources du Victoria avait formé une saillie dans la clôture sud ; *E. prominens,* d'après lui. « Une petite ville — je ne sais plus où exactement — connue pour son miel de roses sauvages et ses petites femmes aux sourcils noirs, où les trous de serrure des maisons ont une forme de cœur... » Les histoires se suivaient, au gré des arbres — ces arbres pas serviables et déplaisants. Sur Sparkle Street, à Blacktown (souvent, les maires des banlieues excentrées de Sydney aiment faire la démonstration de leurs talents en matière de nomenclature), un homme avait tatoué ses trois filles. Il en avait tatoué une avec un chardon, une autre avec une rose et la plus vieille avec un petit téléphone... *E. melanoleuca.* Ailleurs, c'était le voyageur de commerce qui était devenu grossiste en œufs et s'était marié à une mégère toute maigre, laquelle ne lui avait donné que des enfants couverts de taches de rousseur et cassait des assiettes au moindre désaccord.

Il n'était pas toujours utile de raconter une histoire, même si Ellen préférait les entendre. C'est à cause de ses feuilles épaisses que le gommier gris du sud du Queensland s'appelle veste en cuir. Cela lui suffisait pour déclarer que les loubards qui chevauchent leurs lourdes machines étaient les équivalents modernes, nécessaires, des chevaliers du Moyen Âge sur leurs chevaux. Lesdits loubards chancelaient aussi sous le poids de leur tenue protectrice, casque et visière, et bottes en appui sur les étriers. Les machines qu'ils pilotent et sur lesquelles ils s'éloignent par petits groupes pressés sont puissantes, tendues de cuir et de chaînes ; une grosse moto s'apparente à un cheval robuste avec toute sa force et sa chaleur sous-jacente. À ce stade, Ellen aurait pu le questionner sur la petite entaille sous son œil, l'histoire d'une cicatrice ; il y avait une anecdote écrite là : mais il était déjà passé à l'arbre suivant.

C'était si reposant, si vague que de tout passer au crible comme ça. Cela se déroulait à un niveau à demiconscient, juste en dessous de la surface plus vive de l'éveil ; elle pataugeait dans les eaux peu profondes de sa rivière privée, pour ainsi dire.

Par intervalles, son père et d'autres entraient dans sa chambre, projetaient des ombres. Elle lui savait presque gré d'envelopper ses petites mains avec la sienne. La texture rêche de sa main lui donnait la sensation d'être plus douce encore. Dans la sienne, sa main avait tout d'un petit oiseau.

En milieu de matinée, la voix de M. Cave retentit, plus forte que d'habitude, annonçant sa victoire. Apparemment, il avait envie de venir tout droit dans sa chambre pour fêter l'événement. Qu'aurait-il fait alors ?

Ellen ferma les yeux et se tourna vers le mur.

35

Rameliana

« Au début des années 1920, un jeune Français de Lyon fut envoyé par son beau-père en voyage d'affaires en Australie. Il laissa derrière lui sa jeune femme et leur fille d'à peine six mois.

« Ce projet lui apparaissait comme une longue et rare aventure. La forme chaloupée du continent au milieu du bleu des mers australes l'attirait avec tout son vide mystérieux. Il n'avait jamais rencontré quelqu'un qui s'y fût véritablement rendu. À Cuba et à Tahiti, oui, mais pas en Australie. Celui qui s'en était approché le plus était un entraîneur de tennis, un émigré russe, rencontré dans une soirée et qui lui avait affirmé avoir vu les gigantesques contours couleur paille fluctuer devant lui durant une crise cardiaque récente.

« Et voilà qu'il s'apprêtait à y aller lui-même !

« À bien des égards, il constituait un choix idéal. Il était mince et avait des yeux noirs et des doigts perpétuellement en mouvement. Il était animé d'une telle curiosité qu'il en paraissait un peu rêveur ; et, comme beaucoup de Français, il avait une affinité surprenante pour les *déserts,* la pureté du vide, *et cetera*, qu'il exprimait avec des transports de volubilité vaguement embarrassants pour son beau-père. Malgré son vide d'allure saharienne et sa population relativement clairsemée, l'Australie possède, nous le savons à présent, une considérable couverture arborée, énormément d'ombre, vu tous ces eucalyptus où que vous regardiez, ainsi que des acacias, même dans les endroits qualifiés de déserts. Ne sachant à quoi s'attendre, il glissa dans ses bagages une Thermos et des cristaux pour purifier l'eau.

« Tandis qu'il disait au revoir à sa femme qui pleurait tout en agitant la main molle de leur fille occupée à bâiller, son beau-père lui répéta des instructions de dernière minute.

« Il devait photographier les aborigènes dans leur état naturel, se concentrer en particulier sur leur cuisine et les rituels de mariage et d'initiation qui, apparemment, remontent à l'âge de pierre et, pendant qu'il y était, collecter le plus grand nombre possible de leurs mythes et légendes. Le beau-père envisageait de créer un musée ethnographique à la périphérie de Paris où les divers mythes racontés par les aborigènes pourraient être présentés selon un certain ordre, accompagnés d'images de leur quotidien, le tout sous un seul et unique toit.

« Le voyage se déroula sans problèmes et le jeune Français débarqua à Brisbane. Peu après, il se mettait en route pour l'intérieur des terres.

« Ses lettres à sa femme évoquaient une rage de dents, sa solitude et la difficulté de trouver véritablement des autochtones vivant comme à l'âge de pierre. Il exprimait son amour pour elle en des formes appropriées pour un jeune Français et gribouillait de petits messages pour leur fille, bien que, naturellement, elle fût trop petite pour lire, et encore plus pour écrire. Pour son beau-père, il transcrivait clairement quelques mythes et légendes qu'il avait entendus, dont un sur la manière dont le corbeau était devenu noir (il était blanc à l'origine) et proposa quelques notes hésitantes en vue d'un dictionnaire aborigène.

« Après quelque six mois, la première série de plaques photographiques arriva : plus il s'éloignait de la côte, moins les aborigènes portaient de vêtements — mais comme ils avaient encore des jupes et des pantalons, ils n'étaient guère utiles pour le musée. Sur les photos suivantes, ils étaient remplacés par des paysages de gorges et d'affleurements rocheux, tous avec des ombres accusées, par des sentiers n'aboutissant nulle part, des lits de rivière ponctués d'oiseaux noirs, une falaise fendue en deux par le tronc blanc d'un eucalyptus ; et le lot suivant allait encore un cran plus loin dans le registre des trous perdus, des barmaids accommodantes et des chercheurs d'or crasseux au sud de Darwin, en train de boire du thé dans des tasses ébréchées. Bien qu'il n'y eût rien de semblable en France, le beau-père se sentit obligé de rappeler à son agent la mission sur laquelle reposaient les espoirs du musée qu'il se proposait d'ouvrir.

« Tandis que la femme du Français attendait et s'enfermait peu à peu dans un mutisme croissant, la fille grandissait et devenait adolescente ; parfois, elle étudiait son visage dans le miroir pour y trouver de possibles indices de son lointain papa.

« Quant à la femme, elle craignait que son mari ne la reconnaisse plus lorsqu'il reviendrait.

« En moins d'une année, il avait cessé d'envoyer des photographies. Il expliqua qu'il circulait dans des régions difficiles, "vastes déserts de sable et de bois dur", comme il le formula. Durant de longues périodes, il n'y avait pas du tout de lettres. Celles qui parvenaient bel et bien à sa femme étaient écrites sur un papier crasseux, à l'aide d'un crayon émoussé. L'épouse et son père se demandaient ce qui se passait. Il semblait avoir été absorbé par le désert.

« Puis, à la fin — après que plus de quinze années se furent écoulées —, il écrivit pour dire qu'il rentrait. Il avait déjà envoyé ses bagages, affirmait qu'il allait suivre.

« Il y eut beaucoup de soulagement et de surexcitation en France. Le beau-père à présent assez âgé se proposa de superviser l'ouverture des malles. Il y avait l'appareil photo, son trépied et le voile noir. Tristement, il remarqua les boîtes de plaques photographiques inutilisées. Dans d'autres malles, il déballa quelques boomerangs ainsi qu'une authentique lance, une *woomera,* et une peinture sur écorce. Il y avait des vêtements personnels et une pipe que sa femme rangea dans leur chambre à coucher. Il y avait un nœud papillon et un plat à barbe. Quelques livres. Une fine couche de poussière rouge recouvrait le tout, ce qui laissa de petites pyramides sur le tapis, donnant à penser que ces affaires avaient passé beaucoup de temps en entrepôt.

« Alors qu'elle attendait que son mari réapparaisse, la femme fut victime d'une série de petites maladies, semblables aux répliques d'un violent tremblement de terre. Quinze années d'attente, voilà qui avait été difficile ; elle avait plus vécu la vie d'une veuve que d'une épouse. Et, à présent, il allait revenir en homme différent ; même sa peau n'aurait pas le satiné dont elle gardait le souvenir. Elle ne cessait de retourner à la photographie de leur mariage afin de s'assurer de son physique. Et elle s'observait constamment dans le miroir et essayait des chaussures et de vieilles robes.

« La fille aussi était concernée par le retour de son père. Elle travaillait bien à l'école. Pour elle, c'était un inconnu, à la fois proche et distant, avec très peu de forme, de silhouette ; un fantôme.

« Chacune à sa façon, elles attendaient.

« De nouveau, des mois passèrent, et plus.

« Des années plus tard, alors qu'elle était délicatement ridée (comme si quelqu'un eût drapé un filet sur sa figure) et que sa fille était partie travailler à Bruxelles, elle apprit que son jeune mari était mort dans un endroit proche de Cloncurry — et aussi qu'elle était très riche.

« Il s'était aventuré hors des sentiers battus ; s'était éloigné de ses desseins d'origine.

« En Australie, il avait été dans un embarras perpétuel. Au cours de ses voyages dans l'intérieur des terres, puis de retour vers la côte et les villes, il avait rencontré des gens qui s'étaient invariablement révélés être des archétypes, des types difficiles, des types insistants.

« Il avait circulé partout avec un dictionnaire dans la poche. De sorte que des tas d'inconnus l'avaient accueilli à bras ouverts dans leurs cabanes et sous leurs tentes.

« À Sydney, dans une pension pour hommes, près du port, il avait rencontré un barbu qui lui avait fait une forte impression. C'était un homme qui avait commis une faute, quelque chose concernant sa fille — il refusa de donner des détails — et qui ne pouvait plus se regarder en face. Depuis plus de trente ans, il avait réussi à éviter tous les miroirs. Il restait principalement enfermé à l'intérieur et refusait même de voir sa fille au cas où il aurait reconnu quelque chose de lui chez elle. Inutile de dire qu'il ne savait plus trop à quoi il ressemblait à présent. Si ses vêtements étaient extraordinairement impeccables, son visage était une concentration de rides qui, lorsqu'il parlait, bougeaient comme les baleines d'un parapluie. Quels que fussent les mérites de son entreprise, elle possédait un degré de difficulté philosophique qui exigeait le respect.

« Plus le jeune Français se voyait détourné de sa mission concernant le musée ethnographique, moins sa présence lui paraissait convaincante. Il lui était facile de voir dans les ombres de la photographie une forme de vol chimique.

« La terre, la flore et la faune mêmes avaient tout simplement plus de substance.

« Ce qui lui arriva relève de la légende même. Au cours de sa seconde année, seul au fin fond de l'ouest du Queensland, il se cogna le pied contre un rocher qui dépassait. La pierre lança des éclairs et, quand il en trouva d'autres, il beugla quelque chose en français. Il ne pouvait en croire ses yeux. Sur le site, il y a maintenant une gigantesque mine d'argent, illuminée la nuit, qui fonctionne vingt-quatre heures sur vingt-quatre. Des découvertes aussi fortuites étaient encore possibles à l'époque dans le Nouveau Monde.

« Sa mort inattendue, quelques jours avant de rentrer en France, avait été tout aussi fortuite, accidentelle.

« Tout du long, sa veuve avait vécu avec son précieux gisement d'argent à elle, sous forme d'une photographie de lui, plus petite que sa main, placée à côté de celle, plus grande, de son père vêtu de serge. » C'était à ce moment-là qu'il avait quitté l'arbre et qu'il s'était tourné vers Ellen, la main en visière devant les yeux, elle s'en souvenait à présent.

36

Baileyana

Jamais Ellen ne se lassait de vagabonder sur les multiples surfaces de sa chambre alors que ses yeux s'y étaient déjà posés de nombreuses fois. Tout était assourdi et doux, un réconfort. Cette sensation de vieille familiarité présentait des qualités remarquablement apaisantes, semblait-il.

Pourtant, Ellen se tournait et se retournait, glissait deci de-là à travers la lumière et les ténèbres, d'un pôle d'elle-même à son opposé.

Elle était à la fois calme et agitée, souffrait d'une lassitude extrême et, l'instant d'après, de nervosité. Il doit y avoir un terme médical fort pour cet état de hauts et de bas associés à des glissements contradictoires.

Elle restait au lit mais ne parvenait néanmoins pas à se reposer. Elle faisait bon accueil au soleil et à sa chaleur, de même qu'aux nombreux petits bruits du monde extérieur, mais, soudain, de ses oreillers, elle imaginait un eucalyptus et en éprouvait une haine des arbres, de tous les arbres de son père. Elle ne voulait plus jamais voir une autre branche de feuilles kaki à port retombant.

Elle ne pouvait plus affronter le monde. Comment pouvait-elle continuer à vivre dans la propriété ?

Sous le coup de cette humeur, Ellen se remit à passer ses vêtements en revue, à essayer ses chaussures. Elle retourna aux magasins presque vides de Sydney où les femmes maigres en noir l'avaient servie en baissant le nez. Puis, sur une impulsion folle, elle eut envie de donner tous ses bons vêtements, y compris la robe crème aux boutons blancs et ses souliers rouges. La nuit, elle se surprenait en train de parler ou, du moins, la bouche grande ouverte, alors que, dans la journée, elle gardait le lit sans pratiquement prononcer un seul mot. Sa température montait, Ellen déclinait. C'était tout simplement au-dessus de ses forces que d'arrêter ce déclin, lequel imitait parfois un mouvement physique, comme quand elle glissait lentement du bout du lit vers le néant ; non qu'à ce stade elle s'en souciât.

Dans un rêve terrible, elle vit un homme en train de se noyer dans un seau (et qu'est-ce que cela pouvait-il bien signifier ?).

Jusqu'à sa maladie, son père, avec un tact muet, n'était jamais entré dans sa chambre ; à présent, il restait des heures d'affilée assis au pied de son lit ou passait la tête par la porte pour voir si elle allait bien.

Certains après-midi, elle ouvrait les yeux et s'apercevait qu'il y avait, à côté de son lit, plusieurs hommes qui l'observaient.

Le vieux médecin à la veste en lin était un habitué ; Ellen se rendit compte que son visage, marbré par la lumière du matin, paraissait tristement en dehors du temps et de l'espace. Il prenait sa température, posait les mêmes questions, puis se tapotait les dents du bout de l'ongle. Il restait là une bonne heure ou plus. Ellen aimait l'entendre fredonner.

Ha ! Pour la dérider, son père demandait de sa voix

la plus pateline : « J'imagine qu'on n'a pas le droit de fumer ? » Et avant qu'elle eût hoché la tête ou même fait mine d'esquisser un sourire chargé de souvenirs, l'allumette s'était enflammée — c'est là un son profondément géologique.

Entre-temps, M. Cave s'était installé, avec sa valise marron, son chapeau et ses brosses à cheveux, dans l'une des chambres d'amis. Il passait ses journées à la maison, à s'éclaircir la gorge. Faisant plus ou moins partie de la famille, il estimait être dans son bon droit. Il était patient.

Il commençait pourtant à se demander si ce drame n'avait pas un rapport avec lui. Après tout, ce n'était pas aussi facile qu'il y paraissait d'identifier plus de cinq cents arbres. (Des douzaines de plants avaient été discrètement collectés dans les endroits les plus reculés de l'Australie.) Et à mesure que le nombre de noms barrés avait grossi, leur sombre agrégat avait pris un poids et une hauteur terribles, comme une bibliothèque en passe de basculer. Il l'avait lui-même senti. Dès lors qu'il avait réussi la première moitié de l'épreuve, plus dure serait sa chute au regard de tout un chacun ! L'avenir d'Ellen aussi dépendait de sa réussite ou de son échec ; de toute évidence, elle avait dû être sur les nerfs. Peut-être cela avait-il affecté sa santé ?

Le dernier jour, il avait trébuché. Alors qu'il remontait l'allée de gravillons en compagnie de Holland en identifiant tous les arbres à gauche et à droite, en monarque comptant ses fidèles sujets, il avait vu devant lui la porte d'entrée qui symbolisait la victoire et toutes les notions de propriété, de chaleur et de pénétration qui s'y rattachaient : peut-être était-ce à cause de ça ? Car M. Cave avait eu une absence. Il avait un hybride d'écorce ficelle dans la bouche et sur le bout de la langue, mais avait marqué un temps d'arrêt sur les feuilles — à ce jour, il ne sait toujours pas pourquoi — avant de revenir à juste titre à l'arbre célèbre pour ses quinze différents noms vernaculaires, l'*E. dealbata.* Holland avait remarqué qu'il s'en était fallu de peu qu'il échoue.

Dans la cuisine, tout en mâchonnant un biscuit, M. Cave demanda s'il était possible que la maladie d'Ellen ait un rapport avec lui. Holland répondit d'un ton brusque :

« Je ne pense pas. Il n'y a jamais une seule chose. »

Désireux d'aider, M. Cave patienta donc. Frapper à la porte d'Ellen, par exemple, et lui apporter un thé sur un plateau pouvait s'interpréter comme une illustration de ses bonnes intentions.

Il n'est pas normal qu'un corps reste à l'horizontale ; passé un certain laps de temps, cela suscite l'inquiétude. La mort et l'enterrement (« le repos éternel ») sont considérés comme des états horizontaux naturels, ce qui explique sûrement pourquoi le côté faux et calculé des décès perpendiculaires, telles que pendaisons, crucifixions, morts sur le bûcher, *et cetera*, provoque un choc tellement indélébile.

L'horizontalité prolongée d'Ellen généra un défilé de citoyens inquiets qui vinrent prendre des nouvelles et apporter des confitures maison, des cakes sucrés et des fleurs ainsi qu'une foule de conseils artisanaux. Très peu avaient déjà pénétré à l'intérieur de la ferme obscure.

Le docteur venait tous les matins, mais il n'arrivait toujours pas à donner un nom à la maladie.

Les sœurs Sprunt profitèrent de l'occasion pour jeter un coup d'œil sur la chambre d'Ellen et visiter le salon obscur, et, dans la cuisine, la femme du boucher se mit à donner des ordres à Holland jusqu'à ce qu'il lui eût dit de déguerpir. À part cela, il ne savait que faire. Quant à la receveuse des postes, elle envoya un flot de cartes régulier, alors que Mme Brain, de l'hôtel, passa déposer deux bouteilles de bière brune d'Adelaïde. Quelqu'un d'autre laissa un nouveau calendrier — encore un gommier spectre avec des moutons et la traditionnelle clôture fatiguée.

En ville, la seule question qu'on posait à Holland concernait sa fille. Les femmes admiraient Ellen ; là-dessus, aucun problème. Elles voulaient qu'elle se remette sur pieds. Avoir une telle beauté dans la région leur faisait honneur, allez savoir pourquoi.

Pour M. Cave, une femme qui passait la journée au lit représentait un mystère complet.

Parfois Holland et lui s'asseyaient, ensemble, à côté du lit. Ellen ne manifestait aucune envie de parler et se détournait légèrement quand M. Cave approchait avec un peu d'huile essentielle d'eucalyptus extra-spéciale, censée guérir toutes les maladies sur terre.

Tout ce que M. Cave pouvait offrir, c'était de la patience, ce qui est une forme de gentillesse.

Un matin, il y eut un silence qui se prolongea deux drôles d'heures ou plus, et pas trace de Holland, si bien que M. Cave attrapa distraitement la fille de laiterie en pleurs sur la table de chevet. Il hocha la tête d'un air pensif.

« Fabriquée en Autriche, ah, la bonne vieille Autriche... »

De ses doigts carrés et opiniâtres, il essaya de tourner la clé.

« Ne faites... » murmura Ellen.

Il y eut un claquement retentissant : cet homme avait cassé le mécanisme de la boîte à musique. Et Ellen fondit en larmes.

De ce jour, le déclin d'Ellen s'accentua. Personne ne pouvait rien faire. Elle-même n'était qu'un ruban dégringolant d'un sommet vers la terre où il allait trouver le repos, peut-être éternel. Dans sa faiblesse, elle éprouvait une dangereuse satisfaction.

Elle perdait sa beauté.

Le docteur se demandait maintenant s'il fallait appeler un distingué collègue, à moins que ce dernier n'ait émigré aux États-Unis.

La femme du boucher revint avec d'autres femmes cette fois et, sous le regard de M. Cave, pressa Holland d'envoyer la patiente directement à Sydney. À ces mots, Ellen hocha la tête presque violemment et ferma les yeux.

C'était une de ces fameuses maladies sans nom. Seule une histoire pouvait la ramener à la vie.

37

Approximans

Une chaise fut placée à côté du lit pour que les hommes puissent venir raconter leurs histoires.

L'avantage de cette position était que, de la chaise, le conteur pouvait librement se promener du regard sur tout le visage moucheté d'Ellen, lequel, en des circonstances ordinaires, aurait réduit les hommes les plus forts à des marmonnements et à des traînements de pieds.

Trop âgé pour être d'une grande aide en matière de beauté féminine, le docteur se mit à raconter à Ellen certains de ses cas chirurgicaux les plus curieux. On aurait cru qu'il parlait tout seul, qu'il ne s'adressait pas vraiment à elle, et elle aussi se laissa gagner par la rêverie. Après son départ, Ellen manqua tomber par terre en allant refermer la porte-fenêtre. D'habitude, avant de se remettre au lit, elle se regardait dans le miroir, se donnait éventuellement un coup de brosse dans les cheveux ; mais elle se recoucha directement, face au mur.

Les jeunes du coin, sur l'insistance de leur mère, c'est certain, s'assirent sur la chaise et débitèrent des anecdotes sur des cochons abattus ainsi que sur des serpents d'une taille et d'une férocité incroyables qui s'étaient mis en travers de leur chemin. Les exagérations ont un rôle utile dans l'art de raconter des histoires. Trevor Traill, lui au moins, se lança dans l'aventure de son grand-oncle, né tellement à l'intérieur des terres qu'il s'engagea dans la marine marchande le jour de ses seize ans et s'en alla faire le tour du monde. La famille se rassembla à son retour. D'après la légende familiale, la première chose qu'il fit en descendant à terre d'un pas mal assuré fut de s'agenouiller et *d'embrasser un cochon.*

Les choses se passèrent de la même manière avec le très convenable maître d'école. Il entra sur la pointe des pieds et lui lut un passage d'un livre d'histoire britannique et, quand on lui demanda si elle souhaitait qu'il continue le lendemain, elle parut faire non de la tête.

M. Cave avait remarqué combien Ellen s'agitait dès l'instant qu'un homme s'asseyait sur la chaise et commençait une histoire ; à en juger par son attitude, elle écoutait, il le voyait. Lui aussi allait devoir essayer quelque chose. S'il lui racontait une histoire qui la ramenait à la vie, leurs problèmes, quels qu'ils fussent, seraient résolus. Il se mit à se creuser la cervelle. Il est toujours plus facile de raconter une histoire à la première personne. La progression paraît nettement plus coulante. Cela peut engendrer une franchise impétueuse chez le conteur, comme si le « Je » révélait réellement une vérité intérieure spécifique.

M. Cave prit place sur la chaise un matin, tard. Il donna l'impression de rassembler ses pensées, puis se tortilla sur son siège.

« J'ai une histoire. Elle concerne ma fiancée. »

Ellen s'agita. Plis et faux plis (elle les voyait du coin de l'œil), et toujours pas un cheveu de déplacé, s'associaient pour donner à ses paroles un ton étonnamment direct.

« Il s'en est fallu de peu que je ne me marie. C'était il y a quelque temps, à Adelaïde. Elle s'appelait Marjorie.

« Petite bouche, cheveux raides. Elle avait une passion pour les pulls en cachemire, je ne sais pas pourquoi. Me demandait toujours de lui en rapporter un à chaque fois que j'allais dans un autre État. Père fonctionnaire. Ministère de l'Éducation, si je ne me trompe. C'était il y a quelques années. Marjorie se moquait de mes recherches sur les eucalyptus et me conseillait sans cesse de me laisser pousser la moustache. »

M. Cave éclata de rire.

« Elle était capable de monter sur ses grands chevaux ! Si je choisissais de ne pas être d'accord avec elle à propos de quelque chose, je ne me souviens plus de quoi, elle m'en retournait une.

« À part ça, on s'entendait très bien. Pendant plusieurs années, on se vit plusieurs fois par semaine.

« Un jour, elle me fit la déclaration suivante : "J'ai près de quarante ans, j'aime ta compagnie. Mais ma famille estime qu'il faudrait que je me marie. Dis-moi ce que tu en penses mardi. Sinon, je vais être obligée de me trouver quelqu'un d'autre."

« À peu près ce discours.

« J'en étais donc là. Le mardi en question, nous étions convenus de dîner ensemble. Chinois, si ma mémoire est bonne, sur Hindley Street. On bavarda de tout et de rien. C'est surtout moi qui parlai. Elle avait l'œil sur la montre, ne pouvait pas rester tranquille une seconde. À un moment, j'ai cru qu'elle allait sortir de la pièce comme une flèche. J'attendis minuit moins quelques secondes pour donner ma réponse. Elle se montra soulagée, puis, allez savoir pourquoi, se fâcha contre moi. L'instant d'après, elle se mit à préparer les invitations, *et cetera*.

« Je me souviens d'avoir pensé que sa figure s'était adoucie. Très belle, avais-je envie de dire. »

Ellen s'était détournée du mur.

« Et puis cette drôle de chose se produisit. »

M. Cave avait croisé les bras.

« Paraissait plutôt simple à l'époque. Un gars au bureau m'avait donné ce tuyau. À ce moment-là, Marjorie et moi, on se voyait tous les jours. Des tas de trucs à régler. Je l'emmenai dans un mont-de-piété où il y avait un bocal plein d'alliances. »

Jusqu'à présent, l'histoire avait suivi son cours sans problème, avec des pauses décentes. Ellen avait les yeux fixés sur le plafond.

M. Cave se mit à tousser.

« La main dans le bocal, Marjorie piochait dans les alliances, comme si c'était des caramels. Pour moi, tous ces trucs se ressemblaient. Elle, apparemment, savait ce qu'elle voulait. Elle avait encore la main plongée dans le bocal quand elle s'arrêta et parut réfléchir. "Non !" Elle le repoussa avec brusquerie. "*Je veux du dix-huit carats !*" Je ne voyais pas de quoi elle parlait. Puis elle décampa, me laissa planté dans la boutique, une demi-douzaine d'alliances dans les mains. Il y a quelques années de cela. »

La bouche ouverte, Ellen ne le regardait pas.

« Ça, dit M. Cave en se frottant les mains, c'est, à

mon sens, la seule histoire ou presque qui me soit arrivée. »

Holland, qui avait écouté jusqu'au bout, réussit à lâcher un rire :

« *Du dix-huit carats ?* Pourquoi pas du vingt-quatre ? »

Il remarqua que Ellen s'était tournée vers le mur, qu'elle ne bougeait pas du tout.

« Je crois qu'un peu de repos ne lui ferait pas de mal, déclara-t-il, embarrassé. Vous feriez mieux de vous en aller. »

38

Crebra

Le gommier rouge à écorce de fer et feuilles étroites : alors, là, pour une substantivation détaillée, c'en est une. Cet eucalyptus a un tronc droit et une écorce dure, parcourue de profonds sillons, pareille à une bande d'argile gris foncé labourée, puis séchée. Les feuilles présentent une étroitesse notable. Ce qui n'est pas décrit, c'est le port « retombant » (terme technique) de leurs branches ; c'est-à-dire que ces branches tombent vers le sol dans un miroitement de véritable mélancolie.

Cet air de perpétuelle tristesse en suspens n'aurait guère d'importance, sinon que le gommier rouge à feuilles étroites est l'un des eucalyptus les plus répandus sur la planète ; il doit peupler les zones boisées de l'est de l'Australie jusqu'à l'extrémité nord du Queensland. Son nom botanique a tenu compte de cette caractéristique depuis le tout début : *crebra* vient du latin « fréquent », « se succédant de près ».

Imaginez l'impact que des proclamations de mélancolie pareillement répandues peuvent avoir sur l'humeur populaire. Ce phénomène, inutile de le préciser, a transpiré pour faire sa réapparition sur les visages allongés de notre population — dont la mâchoire s'est affaissée — et se manifester à travers des mots formés par des mouvements de bouche presque imperceptibles, qui filtrent souvent l'expression d'émotions excessives. Il projette une ombre gris kaki sur nos histoires quotidiennes, le moment et la manière dont elles sont racontées, même s'il s'agit de mythes et de légendes, si l'on peut dire, tout comme la neige et les glaces ont façonné les Norvégiens.

Il est possible de voir dans les eucalyptus un rappel quotidien des tristesses entre pères et filles, de l'impavide stoïcisme de la nature (ce qui bien entendu n'a rien à voir avec du stoïcisme), de la sécheresse et de l'asphalte qui fond dans les villes. Chaque feuille penchée vers le sol rappelle une autre histoire malheureuse ou une remarque sèche ou une blague pour écarter les mouches.

Seul un petit nombre d'eucalyptus appartenant à d'autres espèces, ces pâles et majestueuses beautés qui accèdent à la notoriété par le biais de torchons, de timbres et de calendriers corrigent l'impression générale de mélancolie mise en avant par *E. crebra* et certains autres écorces de fer. Ils apportent une touche de lumière dans un champ, sur une paroi rocheuse, un trottoir en ville : ainsi les deux gommiers saumon qui se dressent sur le refuge entre l'université et le cimetière de Melbourne ! Il n'en faut que quelques-uns. Ceux-là constituent une majestueuse affirmation de ce qui vit et se déploie : la continuation.

Et nous avons un parallèle proche. Il n'est peut-être pas exagéré de dire que le formidable instinct qui pousse les hommes à la mesure, et qu'on prend souvent, à tort, pour du pessimisme, est contrebalancé par l'optimisme épanoui des femmes, lequel n'est rien moins que la vie elle-même ; leur éternel atout.

Cela se voit en miniature à travers la vénération que les femmes ont pour les fleurs, vénération portée à son maximum quand elles relèvent la tête et que, rcconnaissant leur affinité naturelle, elles acceptent lesdites fleurs.

39

Confluens

Au dix-septième jour, Ellen était toujours allongée dans sa chambre. Personne ne lui avait raconté une histoire qui l'eût ramenée à la vie. En fait, l'histoire de M. Cave n'avait réussi qu'à aggraver les choses.

Pour ce qui le concernait, il avait gagné la main d'Ellen conformément aux règles et avec le père sur son dos tout du long. C'était, au regard de qui que ce fût, un exploit impressionnant en termes de mémoire et de persévérance, une épreuve si difficile que Holland n'avait pas imaginé qu'un homme pouvait la réussir. Si M. Cave avait dû tout reprendre depuis le début, il aurait très bien pu trébucher en chemin. Et, maintenant, devant cette issue totalement inattendue, il se révélait trop déconcerté et sincère pour protester.

« Je vais m'éclipser », déclara-t-il en présence d'Ellen.

M. Cave s'en alla se promener au jardin, là où il se sentait le plus à l'aise, parmi ce qu'il connaissait mieux que n'importe quoi — les eucalyptus, dans toute leur diversité véritablement remarquable.

Pour l'instant, Holland ne pouvait pas faire grand-chose. Il en était réduit à contempler ses jointures, lesquelles n'avaient jamais présenté grand intérêt et qui paraissaient à présent plus épaisses que d'ordinaire. Cela suffit à lui déclencher un rire lugubre qui lui secoua les épaules et poussa Ellen à se demander ce qu'il pouvait y avoir de si drôle dans sa situation.

Il fallait patienter. Le temps, comme toujours, détenait les réponses, telle était l'opinion de Holland. Le temps règle tout. C'était à peu près tout ce qu'il pouvait dire à M. Cave, un homme qu'il avait fini par apprécier ou du moins respecter. Mais, dès les deux premiers mots « Le temps... », il renonça.

Il y avait des choses qu'il avait envie de dire à Ellen. Mais c'était des trucs obscurs et difficiles ; et il n'était pas comme sa fille.

Ellen était contente quand il s'asseyait sur la chaise. La nuit, sa cigarette brillait dans le noir, au milieu des craquements de certains endroits de la maison qui revenaient à une température plus décente, et, dans un vague murmure circulaire, il reprenait la triste histoire de sa mère, car elle aussi s'était affaiblie dans un suintement de pâleur progressif.

Plus Ellen écoutait son père, moins elle le comprenait... Elle le connaissait mieux que n'importe qui, elle s'en rendait compte, et pourtant, en réalité, elle ne le connaissait pas du tout. Même si elle ne connaissait pratiquement pas l'inconnu — il y avait tout lieu de le qualifier d'inconnu —, Ellen se rendait compte qu'elle le connaissait mieux que son propre père.

Devant cette révélation, elle demeura allongée, les yeux ouverts, à contempler, mêlée à tout cela, la vision claire de cet homme sous des angles différents, près des arbres. Et, tout du long, elle se concentra sur la cigarette rougeoyante dans le noir qui, pourtant, commençait, elle aussi, à s'amenuiser. Quand la lueur se fut évanouie, l'homme était parti — il avait quitté la propriété, n'était plus à côté d'elle. Tout du long, cette affaire avait été ridicule, et, de fureur, Ellen se mit à cligner des yeux.

Pourtant, elle ne cessait de voir son visage et d'entendre sa voix alors qu'elle avait peut-être envie de le chasser de ses pensées. Elle n'escomptait plus le revoir jamais, ne se sentait pas d'humeur à voir qui que ce soit.

Pâle et distante, Ellen s'enfonça encore plus dans les profondeurs des draps et des oreillers, de ses grains de beauté et de leur effet stupéfiant sur l'esprit des hommes, sur leur langue qui s'embrouillait — ces grains de beauté légendaires pointaient maintenant et semblaient ne plus être en harmonie avec le reste de son visage et même avec d'autres endroits, comme sa gorge et ses mains effilées, comme si ces grains de beauté eussent été trop nombreux et trop noirs.

Les femmes de la ville et des propriétés voisines voyaient bien que le père faisait tout de travers : il ne comprenait pas ce qui se passait. Et il écoutait trop son médecin qui ne s'intéressait qu'aux liquides. Mais si quelqu'un murmurait qu'il était grand temps d'emmener Ellen à la ville la plus proche à peu près équipée ou, de l'autre côté des montagnes, à Sydney, la jeune femme, face au mur, hochait fermement la tête : « *Je n'irai pas...* »

C'était la maladie la plus insolite que Holland eût jamais vue chez sa fille ; c'était à peine une maladie.

Elle n'avait pas vomi une seule fois, par exemple. Si c'était une maladie, c'était une sorte de maladie du sommeil ou de la parole, un semi-mutisme. Elle passait toutes ses journées sans bouger ou presque et ne disait que quelques mots. On pouvait toujours laisser entrer des gens pour qu'ils s'asseyent et essaient de raconter des histoires ! Il en avait écouté quelques-unes et quand, en se tournant, il avait vu sa fille endormie, il avait souri ; d'un sourire tellement sévère, tellement déçu.

Holland ouvrit la porte d'Ellen qui donnait sur la véranda.

L'espace d'un moment, il resta là ; normalement, il regardait Ellen et lui parlait.

À mi-distance du premier terrain, il y avait un arbre familier : avec son port retombant, le miroitement mélancolique de ses feuilles en cascade, son revêtement en écorce de fer *dure,* il paraissait toujours résigné au pire — que c'en soit fini —, à l'image d'une hyène en Afrique.

Quand Ellen leva la tête vers son père, elle aussi se trouva prise par le regard fixe de l'arbre.

« Tu te sens mieux ? » demanda-t-il en se retournant.

Et avant qu'elle ait eu le temps de répondre :

« Bien... »

Il procéda à une fouille outrancière des poches de sa vieille veste sombre, à la recherche d'allumettes dont Ellen eut envie de lui dire qu'il les avait déjà dans la main.

« M. Cave est encore ici, tu sais, finit-il par déclarer. Tel qu'il voit les choses, il n'y a pas de raison qu'il s'en aille, absolument aucune. C'est un gars très patient, un type méthodique. »

Son père rejeta de la fumée.

« Si on avait de l'argent liquide, on pourrait le faire travailler comme jardinier. Pour ce qui est du monde des eucalyptus, il connaît drôlement bien son affaire. »

À tout autre moment, Ellen aurait peut-être éclaté de rire.

« Il ne peut pas rester ici à se tourner les pouces éternellement », ajouta-t-il.

Dans le silence qui s'ensuivit, Holland sentit approcher quelque chose, un ralentissement et un regroupement : presque assez pour repousser le malaise général. La petite chambre bleu ciel, univers de sa fille, se situait dans un rapport d'équilibre avec les arbres agencés comme dans un parc et l'herbe ondoyante et couleur de natte dehors. Ellen le ressentait presque, elle aussi. Peut-être la chose, quoi que ce fût, s'était-elle lentement écoulée d'elle ? En tout cas, l'idée hésitante qu'elle avait d'elle-même avait diminué et sa résistance s'en était allée : eau se répandant partout sur une plaine inondable. Il n'était pas possible qu'elle passe le reste de sa vie au lit, pas ses meilleures années.

Plus tard, quand son père entra avec du thé sur un plateau et qu'il alla fermer les portes de la véranda, Ellen déclara :

« Je verrai M. Cave demain à la première heure, dis-le-lui. »

Elle se tourna vers le mur et prit ses deux seins chauds dans ses mains. Elle était tellement stupéfiée par son inflexible père qu'elle ne se voyait pas lui parler — que dire ? Dans sa vieille veste, il paraissait minci, elle l'avait remarqué, ce qui ne faisait qu'illustrer son entêtement. Puis elle se mit à le plaindre, son père, à le plaindre pour son entêtement, et ferma les yeux là-dessus dans le noir.

« Maintenant, vous vous demandez peut-être... »

Ellen se crut en train de rêver.

Si elle ouvrait les yeux, la voix allait s'en aller.

Sa voix avait surgi de nulle part, sans avertissement, sans « Bonsoir » ou quoi que ce soit.

« Vous dormez ? »

Toujours face au mur, elle avait ouvert les yeux. La voix était toute proche. À présent, Ellen en connaissait bien toutes les éraflures et toutes les ellipses.

Dire qu'il pouvait entrer tranquillement comme ça ! Elle en éprouvait une surprise physique, une onde. Où avait-il été tout ce temps ? Pourquoi ? Il ne fallait pas qu'il l'approche, pas question. C'était le milieu de la nuit, et il était dans sa chambre.

Il était entré par la véranda.

Elle avait envie qu'il parte, elle avait envie qu'il reste.

Sur le point de le lui dire et de le renvoyer, elle bougea un petit peu, mais ne se tourna pas.

« Pourquoi êtes-vous ici ? »

Bien qu'il fît noir, les angles de la pièce convergeaient vers lui et il manifestait un sang-froid impressionnant, qualité primordiale pour faire un officier de carrière.

« Je vais allumer la lampe », déclara Ellen.

Si elle le trouvait en train de sourire, elle le prierait de partir. Mais elle ne l'avait encore jamais vu autrement qu'en plein jour et au milieu des arbres, elle ne l'avait jamais vu dans sa chambre.

En tout cas, tout cela fut oublié quand la lumière le montra dans une vieille veste de cuir, le teint d'une pâleur en rapport, qui lui tendait un misérable bouquet de bourgeons jaunes venant de l'un des arbres. Ces derniers ne démontraient que trop clairement d'où l'eucalyptus tenait son nom : les organes reproducteurs « bien couverts ».

« Ils sont jolis, dit Ellen. Ils sont beaux. »

Il importait peu qu'il les eût cueillies sur l'arbre pessimiste proche, l'*E. crebra.* Dans sa main, en tant que fleurs, elles se confondirent avec elle, en un mouvement de flux et de reflux ; Ellen ressentit de la force dedans sa chaleur, sa chaleur ronde vaguement fonctionnelle.

Tandis qu'il l'observait, une supériorité mystérieuse enveloppa furtivement cette femme assise dans son lit, puis s'évanouit : un bref rappel.

Ellen passa une main sur sa figure et se demanda à quoi elle ressemblait.

« Quelle loque », s'écria-t-elle en glissant sous les couvertures, en se couvrant de nouveau.

Maintenant qu'il était revenu et dans sa chambre en plus — sa tête au-dessus d'elle, penchée sur elle —, Ellen s'installa pour entendre sa voix ; mais presque aussitôt elle se heurta à une tache de désespoir de plus en plus clairette, rappel de sa situation, de son père patient et de M. Cave qui attendaient à côté. Le lendemain matin n'était pas loin ; et ce serait la fin.

« J'ai quelque chose à vous dire. »

D'abord les fleurs et, là, une de ses histoires — comme si tout ce qu'il dirait pourrait tout régler. Ellen se tourna légèrement vers le mur. Que pouvait-il dire ? Il n'en avait pas fait assez. M. Cave en avait fait plus, bien plus. D'après son père, il avait fait tout ce qu'il fallait. À sa façon, M. Cave était un gars remarquable, avait dit son père. C'était trop tard.

« Poussez-vous », chuchota-t-il.

Ignorant la chaise du conteur à côté du lit, il ôta ses bottes et s'étendit auprès d'elle.

« Ça ne sert à rien... », dit Ellen lentement.

L'espace d'un moment, il contempla un point sur le

mur opposé. Quand son père faisait cela, c'était comme s'il cherchait un endroit pour accrocher un de ses calendriers agricoles.

« Les événements les plus importants de ma vie, commença-t-il, se sont déroulés dans des parcs, des jardins, des forêts clairsemées... »

Pour ce qui était des histoires qu'il lui avait racontées en différents endroits de la propriété, Ellen avait présumé tout du long qu'il les avait inventées en allant, pour son bénéfice, ce qui expliquait donc l'intérêt curieusement possessif qu'elle avait éprouvé en l'écoutant. Pas une seule ne s'était appuyée sur le classique, « Moi, ceci, moi, cela » qui équivaut au « Moi, je ». Et, maintenant, alors qu'il fallait raconter l'histoire des histoires, une histoire spécifiquement destinée à la sauver — d'une certaine façon, car comment était-ce possible à présent ? —, il se lançait dans un souvenir personnel, ni plus ni moins, comme tout le monde. Ce n'était pas ça qui allait la sauver. Il n'avait manifestement pas idée de la situation dans laquelle elle se trouvait.

D'un autre côté, ce serait peut-être un début de réponse aux nombreuses questions qu'elle avait eu envie de lui poser sur lui.

Et puis cela lui permettait, de l'oreiller et de la chaleur de son lit, d'étudier son visage sous un certain angle, sa mâchoire qui bougeait tandis qu'il choisissait ses termes avec soin, à la façon dont son père mangeait distraitement un steak, ces derniers temps surtout. Elle éprouva soudain le désir de lui tordre le nez, ou au moins l'oreille. Des rides agréables s'étaient installées autour de ses yeux et de sa bouche. Quant à sa mâchoire, elle était presque trop puissante, à croire qu'elle avait été cassée.

Comme de juste, il sentit lui aussi l'inconvénient qu'il y avait à se placer au centre du récit et, laissant la phrase d'ouverture au rang de remarque explicative ou d'indice, il poursuivit sans le « je » insistant et parla avec beaucoup d'aisance d'un homme qui avait grandi avec un beau-père difficile, parce que sa mère, laquelle montait des chevaux afin de décrocher des rubans, s'était enfuie avec un autre homme, un ingénieur américain spécialisé dans l'endiguement des fleuves en Asie du Sud-Est ; Ellen se rendit compte néanmoins qu'il s'agissait de lui, et de son histoire, ce qui offrait donc une sorte d'espoir.

Le beau-père en question boitait à la suite d'un accident d'équitation. En fait, sa jambe était aussi déformée qu'un jeune gommier. Cela ne l'empêchait pas de nager tout l'hiver, ce qui expliquait pourquoi il avait choisi de vivre dans un immeuble humide derrière Bondi.

« C'était un homme malheureux, un peu sourd, qui se retournait contre le jeune garçon et le malmenait. À l'époque, ils vivaient au bord de la mer — beau-père en noir, yeux larmoyants et très clairs, en mal de béquille ou de canne, tout droit sorti d'une fable, poursuivit l'inconnu à côté d'elle.

« Le jeune garçon grandit donc au milieu de brusques mouvements de bras et de cris avec, toujours, la lumière blanche de Bondi. Pas étonnant qu'il se fût tourné vers la botanique, discrète, méthodique, verte ; la géologie aurait été plus discrète encore, solide et figée.

« Une nuit, une femme vint habiter avec son beau-père ; et on lui signifia qu'il ne pouvait plus rester. Il n'attendit pas le matin. Et, peu après, il abandonna ses études.

« Il resta absent de Sydney si longtemps que ses amis le crurent mort. Plusieurs fois, lui aussi se demanda s'il était vivant. Après avoir commencé par des pays faciles au-dessus de l'équateur, il termina dans des pays difficiles en dessous de l'équateur. Il y eut des tas de choses qu'il vit pour la première fois et qu'il devait ne jamais revoir. Et il lui arriva une foule de choses qui, sinon, ne lui seraient jamais arrivées. C'était ce qu'il avait espéré ; il réclamait de l'expérience. Il vit que cela lui apportait de la *texture.* Mais c'était trop délibéré. Oui, il n'y avait pas de doute là-dessus. Les voyages en train : voilà une vie horizontalement subdivisée en de fugaces intervalles, marqués justement par des gommiers gris à écorce de fer ou des bois de suif, abattus dans le nord de la Nouvelle-Galles du Sud. À deux reprises, il se perdit dans des forêts, à Bornéo, et quelque part en Pologne. Il vit un éléphant mettre bas. C'était dans une forêt de teck. À Kew Gardens, il poussa une brouette. Saviez-vous qu'il n'y a que deux eucalyptus à Kew ? Il y avait aussi la sympathique épouse d'une autorité mondiale sur les orchidées, un foulard autour de la tête. »

Là-dessus, l'homme à côté d'elle fronça les sourcils avant de baisser les yeux :

« Cet homme avait une vie riche et variée... »

Ce n'était pas l'idée qu'Ellen se faisait de l'expérience ; l'expérience pour l'expérience ne l'intéressait pas. Comme toujours, cependant, le rythme régulier de sa diction finit par l'apaiser et elle se concentra sur cet aspect-là.

« Après x années, il retourna à Sydney.

« Le deuxième jour, alors qu'il était allé faire un tour à Bondi, il sauva un homme de la noyade, dit-il. Le sauveteur lui-même se retrouva en difficulté. Sur la plage, il dut se coucher épuisé à côté de l'homme qu'il avait secouru, lequel, le visage bleu, était recouvert d'algues. Il y eut un petit attroupement. »

Tout en l'écoutant attentivement, Ellen visualisa la

plage qu'elle connaissait bien ; rien de tout cela n'allait la tirer d'affaire.

« M. Lonsdale, l'homme secouru, était quelqu'un de discret, poursuivit l'inconnu. “Non, je n'aurais pas dû aller par là-bas...”, disait-il en recrachant de l'eau de mer. Il n'était pas loin de ses soixante-dix ans et il n'avait pas enlevé sa montre. “Je ne veux embêter personne.”

« M. Lonsdale avait une petite entreprise et, après avoir posé quelques questions à son sauveteur, il l'invita à son usine de Redfern, le lendemain. Depuis des années, elle fabriquait des articles tels que les lettres de l'alphabet et des chiffres de tailles et de couleurs variées, en plastique spécialement renforcé. Ces produits étaient utilisés dans des vitrines, des dépôts de voitures d'occasion et des jardins d'enfants. L'usine réalisait également toute une gamme d'instructions directionnelles, telles que ENTREZ et SENS UNIQUE et, pour le premier jour, le visiteur se vit présenter une petite commande d'exhortations en plastique — TÉNÈBRES ! REPENS-TOI ! *et cetera* — sur le point d'être livrées à un groupe d'églises des Fidji. Cependant, tout depuis le bureau poussiéreux jusqu'au sol de l'usine où on fabriquait autrefois des pantoufles donnait à penser que M. Lonsdale avait perdu son enthousiasme ; et cela se révéla exact, car après avoir fait visiter les lieux au jeune homme, il lui proposa un emploi.

« Les circonstances avaient suscité une confiance profonde. Ils étaient comme deux vieux compagnons de beuverie. Le vieil homme était constamment en train de se noyer. Il n'avait pas de famille pour le sauver. Il avait les joues creuses, ça se remarquait beaucoup. Souvent, ils allaient aux courses ensemble, Rosehill, Randwick. Ils n'avaient pas toujours besoin de parler.

« Très vite, le nouveau venu vit un moyen d'élargir

la production de l'entreprise. Pour lui, l'aluminium représentait l'avenir. Sa légèreté et sa durabilité, sa neutralité ; une chose susceptible de changer de forme. »

Là, le conteur s'interrompit.

À tout autre moment, le terme *aluminium* aurait suffi à endormir Ellen, comme elle l'avait tout simplement fait avec les autres hommes qui s'étaient assis à côté de son lit ; mais elle resta immobile, tout à fait éveillée. Et elle attendit qu'il continue. Regardant droit devant lui, comme si Ellen lui appartenait, il se glissa tranquillement sous les couvertures et trouva l'une de ses petites mains occupée à protéger un sein.

« Oh ! » fit-elle.

Ce fut sa réaction.

« Vous avez froid. »

Il ressemblait à un bloc de glace avec des bras, cet homme allongé à côté d'elle.

Il était en train de préparer un truc ; il tenait sa main ; et, ce faisant, elle sentit que sa chaleur avait raison de son froid. Telles étaient les pensées qui se succédaient rapidement dans l'esprit d'Ellen, et la beauté reprit précipitamment possession de son visage.

« Après des expériences et des recherches sur des procédés de gravure et des tests sur différents caractères, une partie de l'usine avait été convertie afin de travailler ce nouveau matériau, l'aluminium, poursuivit-il sans lâcher la main d'Ellen, et, peu après, les commandes arrivèrent tout doucement pour des articles tels que des numéros à poser au dos des sièges dans les stades et les salles de concert. Mais l'expansion à venir allait davantage dans le sens de la nomenclature. Compte tenu du développement de l'éducation et du temps accru consacré aux loisirs, on en est venu à attacher une importance correspondante aux faits, presque une obsession. Nous ne sommes pas trop à l'aise si telle chose vue n'a pas de nom. Il est difficile d'affirmer qu'un objet existe tant qu'il n'a pas de nom, ne serait-ce qu'approximatif.

« Cela doit paraître un peu curieux, ajouta-t-il, que cet homme dont l'instinct le poussait à devenir naturaliste — vu ses études de botanique et les années qu'il avait passées dans diverses forêts et à Kew — puisse se transformer en missionnaire colportant les mérites de l'aluminium ! Et pourtant l'un pouvait être utile à l'autre. Les plaques en aluminium coloré sur lesquelles sont gravés les noms se comportent très bien en plein air ; faciles à lire, bien moins chères que le laiton.

« Il n'avait pas été difficile de convaincre les jardins botaniques de Sydney où on peut voir à présent, par n'importe quel temps, ces fameux noms blancs sur fond brun au pied d'à peu près tous les arbres et arbustes. Et il ne fallut pas longtemps pour voir émerger une demande régulière de la part d'autres jardins dans d'autres États ; zoos et parcs nationaux suivirent. M. Lonsdale, qui faisait généralement des blagues sur ce matériau bizarre dans son usine, en fut naturellement ravi. C'était quelqu'un de bien, de vraiment bien. » Elle le sentit qui recommençait à hocher la tête.

À ce moment-là, Ellen entendit ce qui ressemblait aux pas de son père tout près de la porte et leva, à la hâte, les yeux vers le présumé inconnu allongé auprès d'elle ; mais soit il n'avait pas entendu, soit il s'en moquait, car il continua à parler normalement — voire plus fort, apparemment. L'esprit en partie focalisé sur la porte, Ellen n'enregistra pas tout à fait les mots qui suivirent.

« Puis une grosse commande arriva en provenance d'un nouveau client de l'ouest de la Nouvelle-Galles du Sud, déclara-t-il. Et, une fois cette commande prête, il décida d'aller la livrer lui-même. Il pouvait se permettre de rencontrer ce nouveau client. Cela impliquerait le voyage et une nuit sur place.

« Vous aimez les voyages en train ? »

Il pressa la main d'Ellen pour attirer son attention.

« Très apaisant. Ça doit faire le même effet quand on est au lit et qu'on vous fait la lecture. Ce doit être toutes ces couchettes.

« En tout cas — il reprit l'histoire de la même voix forte —, voici notre entrepreneur fortuit confortablement installé dans le wagon qui, soit dit en passant, présentait sur toute la longueur externe de sa carrosserie une bande d'aluminium cannelée. En sûreté dans le fourgon à bagages se trouvait la caisse en bois bourrée de petites plaques d'aluminium, tout un univers circonscrit à des mots et à des plaques en métal protégées dans du papier journal pour éviter qu'elles ne s'abîment. Le train s'ébranla et notre homme sortit la commande une fois de plus et parcourut la longue liste de noms écrite de la main de son client, une en capitales, l'autre en minuscules ; plus de cinq cents noms, en tout. Il savait qu'il avait l'air fatigué et débraillé, mais ça lui était égal.

« Lorsqu'il ouvrit les yeux, il s'aperçut que les deux femmes en face de lui, grisonnantes l'une comme l'autre, le dévisageaient. Vêtues de drôles de vieilles robes en crêpe, elles faisaient penser à un couple de sorcières ; il leur offrit une pomme, du fromage et des biscuits qu'elles mangèrent sans rien lui laisser.

— Les sœurs Sprunt, murmura Ellen, toujours préoccupée.

— Comme ils arrivaient à destination, la plus vieille lui tapota le genou.

« “Dans une propriété à la périphérie de notre ville,

il y a une jeune femme qui vit avec son père, sans doute la plus belle femme que vous pourrez jamais voir.”

« L’autre renchérit :

« “Le père garde la clé de sa chambre accrochée autour de son cou, comme un geôlier.

« — Commencez par la rivière, lui conseilla l’aînée, n’approchez pas de la maison. Elle sera quelque part au milieu des arbres.”

« Et ce fut la dernière fois qu’il les vit.

« Sur le quai de la gare, il se retrouva trop occupé à régler le problème du transport de la lourde caisse pour penser à la fille de Pierre, Paul ou Jacques, aussi belle fût-elle. Cette livraison allait lui prendre plus de temps qu’il ne l’avait imaginé. Il commença à se demander s’il avait eu une si bonne idée que cela, finalement. Devant le portail de la propriété, il rencontra un Chinois qui sortait à la hâte et qui le salua poliment d’un signe de tête. Mais le maître des lieux, qui l’attendait, lui fit bon accueil.

« Ensemble, nous avons déballé les noms sur la véranda. »

Même à ce stade de son récit, Ellen ne songeait encore qu’à son père et à M. Cave dans le couloir, et à l’aspect vraiment désespéré de sa situation alors qu’il était dans le lit auprès d’elle, qu’il lui tenait la main.

« Je me souviens que vous êtes apparue avec le thé, que vous aviez l’air *très* malheureuse. Je dirais même que vous aviez l’air de mauvaise humeur, ce qui explique peut-être pourquoi votre père ne m’a pas présenté. De plus, nous étions occupés avec toutes ces piles de plaques en métal, à barrer les noms d’arbres que j’avais gravés. »

Cette fois, Ellen le dévisagea avec de grands yeux stupéfaits, puis porta son regard vers la porte, puis de nouveau vers lui. Elle se redressa et s'assit sur le lit, exposant ainsi une de ses épaules, partie d'elle-même connue pour sa texture satinée.

Au temps pour ses voyages à travers le monde : jamais encore il n'avait vu quelqu'un d'aussi beau.

Il lui caressa la joue.

« Vous avez compris ce que je viens de dire ? Ce que ça signifie ? »

Très prosaïque, sans se préoccuper de murmurer, il la prit par la taille.

« Il n'y avait pas une seule erreur. »

Ellen ne savait toujours pas quoi dire. Par-dessus tout, elle retrouvait leur facilité de communication. Elle percevait la force derrière sa main ; il était déterminé.

Il lui fallut le répéter.

« Tous les arbres identifiés, tous sans exception. Un travail difficile, mais pas impossible. Et me voici à présent. Je pourrais vous jeter par-dessus mon épaule et partir en m'enfonçant entre les arbres ou quelque chose de cet ordre-là. »

Il ajouta d'autres choses. Le tout, c'était de décider et de partir ensemble, *E. confluens.*

Ellen hésita. C'était son père qui fourgonnait de l'autre côté de la porte. Avant, elle l'avait entendu parler à M. Cave.

Sur la véranda, il étudia les contours des formes en face de lui, semi-circulaires d'une manière douce et légère, se détachant sur le ciel plus clair. Il n'y avait là, bien entendu, que quelques-unes des nombreuses espèces d'arbres que leurs différents noms décrivaient. Les choses continuaient-elles à pousser, même la nuit ? Une forêt est langage ; des années accumulées.

Du côté de la ville, très discrètement, un chien aboyait.

Derrière lui, il entendait Ellen qui fredonnait en s'habillant. Il était passionné à un point tel qu'il lui semblait que son histoire recommençait depuis le tout début.

Impression réalisée sur Presse Offset par

La Flèche (Sarthe), 44843
N° d'édition : 4026
Dépôt légal : janvier 2008

Imprimé en France